内山節と語る
未来社会のデザイン③

新しい共同体の思想とは

内山 節

農文協

東北の農家が毎年2月に開催している自主的な勉強会「東北農家の二月セミナー」。本書は、2017年、18年、19年のこの勉強会での講義を3部作として書籍化したうちの、3巻目です。

（編集部）

内山節と語る　未来社会のデザイン

3　新しい共同体の思想とは

目　次

＊1などの注は、本文に関連する『内山節著作集』（農文協刊）の記述を、❶〜⓯の数字は著作集の巻数を示しています（編集部）。

序文　伝統回帰の思想的課題

日本的なものが一掃される時代を経て

明治以降の日本は、急速に欧米的なものを取り入れていった。さらに戦後になると、日本的なものの残存がこの悲惨な戦争を招いたのだという考え方が広がり、日本の社会から伝統的なものが一掃されていく。１９５０年（昭和25年）生まれの私の子どもの頃は、あらゆる分野で日本的なもののダメさが語られていたものだった。

知識人からは、日本語廃止案も提案されていた。日本語を使うから日本人は論理的、合理的な思考ができないのだというもので、英語を日本の標準語にせよとか、いやフランス語のほうがいいとか、エスペラント語が最適だとか。こんな議論が知識人のなかから大まじめで主張されていたのである。ボクシングの試合で日本人が負けたとき、解説者が言った。「やはり米を食べているとダメですねえ」。戦後しばらくの間はそんな雰囲気だったのである。日本人は自我の確立ができていないというような話を、当時はどれほど聞かされたことだろうか。

このような時代を経て、今日の私たちの思考はかなり欧米化している。そもそもものの価値を数量化し、貨幣量でとらえるという発想が欧米的だし、科学の発展があらゆる問題を解決するかのごとくとらえる精神も欧米的だ。私も子どもの頃は、将来は科学がすべてを解決するだろうという説を何度も聞かされたものだった。だが念のために述べておけば、科学は科学の方法からみえてくる真理しか発見できないのである。もちろん科学の方法からとらえられるものは尊重してよいが、それがすべてではない。医学は医学の方法を用いたいろいろな治療法を開発したが、私たちが生きている意味は科学の方法からはみえてこないように、である。

伝統思想が甦りはじめた

だが今日では雰囲気はずいぶん変わってきている。ヨーロッパの哲学の歴史をみると、19世紀から東洋思想の研究がすすめられていた。しかもその後の200年の間に、東洋思想から学ぶという動きは、人文系の分野の人たちにとっては当たり前のものになったと言ってもよいくらいだ。東洋から生まれた思想のすべてが東洋思想ではないことも理解されるようになってきた。儒教の発想は、むしろ西洋思想に近いのである。

とともに日本の社会のなかでは、伝統的な考え方に関心をもつ人びとがふえてきた。たとえば自然に清浄な世界を感じるところからはじまる自然信仰は、いつの間にか多くの人たちの心をとらえるようになってきた。自分の健康のために、漢方薬や鍼灸、気功法といった伝統的な治療法を用いる人は、いまではいたるところにいる。消費の拡大からは本当の幸せは生まれないと考える人、自然との結びつきや人びととの結びつきが何よりも大事だと思っている人。今日の社会のなかでは、知らず知らずのうちに伝統思想が甦りはじめたのである。

そういう時代の変化を感じながら、日本の伝統思想とは何かを軸において報告したのが、本書に収録された2019年の「東北農家の二月セミナー」における私の発言だった。

支配者の思想と民衆の思想

私が関心をもっているのは、伝統的な民衆思想である。たとえば儒教は古代から日本に入り、支配者や官僚の思想としてはつねに存在してきた。だが江戸時代までの日本では、儒教思想が民衆のなかに入ることはなかった。古代政権の官僚や武士の思想にとどまっていたのである。ただし江戸時代も終盤に入ると、庄屋層などの人たちのなかでは儒教を勉強する人たちがでてくる。といってもそれは、村の世界にとって儒教が必要だからではなく、武士と交渉するためには武士の論理の立て方を知っていなければならないと考えたからだった。

明治に入って国民国家ができるまでは、支配層の思想と民衆の思想は食い違っていたのである。ところが民衆の思想はとらえにくい。なぜならそれを伝える文献が残っていないからである。それでも江戸時代になれば民衆が書き残したものも現われてくるが、そのほとんどは年貢にかかわることや借金、離縁状など、書き残す必要があったものにかぎられている。人びとがどんな思いをもち、どんなふうに自分たちの時空をとらえていたのかは、現在となってはつかみにくいのである。

だから日本では民俗学が生まれたといってもよい。残された文献の解読によって歴史をとらえようとする歴史学では、民衆が消えてしまうと考えた人びとから、地域に残された慣習や風俗、祭りや物語を手がかりにして、民衆史をとらえようとする試みが生まれた。

仏教が民衆の腑に落ちた

本書に収録された報告では、私は仏教思想をとおして民衆思想を考えようとしている。公式の仏教は、500年代に百済《くだら》から日本に伝えられたとされている。だがその頃には、民衆の手によって伝えられた、非公式の仏教も存在したのではないかと思われる。というのは、弥生時代以降の日本には、さまざまな渡来人が海を越えて移動してきていたのであり、その人たちは自分たちの信仰ももち込んだはずだからである。500年代、600年代に、豪族などによる、いわば官制寺院が造られたとき、それとは別に山を修行場とする山林修行が広がっていた。後に律令制による日本の建設がすすめられたとき、朝廷は山林修行を禁止する命令をだしている。

この山林修行のなかから修験道が生まれてくるが、修験道は、縄文時代から受け継がれた自然信仰と仏教、さらに自然の神々が習合した、民衆仏教のひとつのかたちを生みだしていた。

民衆の仏教は教義から生まれる教義仏教ではないし、教団がつくる教団仏教でもない。自分たちの生きる世界の信仰である。平安文学などを読むと町の聖《ひじり》たちの活動が書き込まれていたりするが、鎌倉時代になると人びとは自分たちの村の信仰の場としてお堂をつくり、そこに神を祀り、仏像を安置するようになる。観音堂、阿弥陀堂、地蔵堂などが各地に造られ、そのなかから信仰を集めて寺院化するものもでてきた。江戸時代になると、寺はどこかの教団に入らなければならないという幕府の命令がで て、教団による系列化がすすんでいくが、もともとは地域の寺、村の寺である。

とすると、なぜ人びとは自分たちの生きる世界に仏教を導入しようとしたのだろうか。その理由は、自分たちの世界観と仏教の世界観に一致するものを感じたからなのではなかったか。あるいは自分たちの世界観を仏教が言語化してくれたからではなかったのか。仏教は、腑に落ちる思想だったのである。そうでなければ、これほど民衆のなかに入るはずはない。

関係論の世界観

ところで、本当の仏教とは何かと問われると、私たちは答えに窮する。なぜなら仏教にはさまざまな思想が存在するからである。釈迦の仏教、上座部系の仏教、日本に伝わってきた大乗仏教。その大乗仏教でもチベット仏教と日本の仏教は同じではない。

仏教は伝播したそれぞれの地域で土着化し、その土地の仏教になっていくという性格をもっているのである。だがその半面において、仏教には共通する思想も存在する。それは「空《くう》」の思想であり、空とは存在するがとらえることができないということである。たとえば「心」は存在するが、「心」とは何かはとらえられない。私たちが知っているのは、「心」が生みだす現象だけであり、それが楽しいとか悲しい、寂しいといったかたちで現われる。つまり本質は「空」であり、私たちがみているのはそこから生まれた現象だけだという思想である。

とするとこの「空」の思想を日本の人びとはどのようにとらえたのか。私は、「空」を関係としてとらえたのではないかと思っている。すべてのものは関係によってつくりだされている。ところが私たちは関係から生まれたものをみることはできても、関係自体はとらえることができない。たとえば自然との関係はさまざまなものを生みだすが、自然との関係自体はとらえようもなく展開する、ということである。私たちは気づかないだけで、直接的、間接的にあらゆるものと関係を結びながら存在している。あらゆる自然とも、あらゆる人びととも、宇宙の果てまでとも、である。なぜならそうやって生まれている時空のなかで、私たちは生きているからである。

自分たちの生きている世界を関係論で説く。この世界観をもっともよく著している経典に『華厳経《けごん》』がある。もちろん古代や中世、近世の民衆が、『華厳経』を読んで共感したということはないだろう。だがあらゆる関係が重なり合って自分たちの生きる世界が生まれ、その関係が穢《けが》れなきものであるなら無事な世界がつくられると感じながら、穢れなき関係の世界に仏の世界をみるという思想は、かつての日本の民衆にとっては、諒解できる思想だったのではないだろうか。

すべてのものには固有の実体があると考え、大本の実体をとらえようとしたのがヨーロッパから生まれた思想であるとするなら、日本の伝統思想は、すべてのものは関係から生まれると考えた。明確にとらえることができない、その意味でみえない関係がすべてのものをつくりだしている。だから本質は「空」なのである。

2019年の「東北農家の二月セミナー」では、日本列島の風土が生みだした思想とは何かを振り返りながら、私は現代世界の問題点を探ってみようと考えた。

第1講　共同体の思想

ヨーロッパの文明思想が限界を迎えた

「これから社会や世界はどうなっていくのでしょうか」という質問をされても、「さっぱりわかりません」と答えるしかないような状況になってきました。日本の場合には地震とか噴火、大型の台風とか何が起きるのかわからないし、経済・政治・社会のほうもこれから何が起きるのかさっぱりわからない。「何が起きても不思議じゃない」と言うしかない。

このことを背後に感じながら、本日は次のような話をしてみようと思います。ヨーロッパが近代につくりだした思想がいまの文明世界をつくっていったわけですけれども、その限界がより明確になってきた。そういう時代の私たちの生き方はどうあったらよいのか、そのあたりを軸に話したいと思います。

ひとつ言えることとは、近代になってヨーロッパがつくった思想というのは「世界には普遍思想がある」という考え方でした。１７８９年にフランス革命があって、そのときに「自由・平等・友愛」というスローガンがでた。それがある意味では近代の普遍思想になり、さらに政治的には議会制民主主義が政治の基本になり、経済的には資本主義が世界の普遍的な経済システムみたいな、そんな感じになっていったと言ってもよい。そういうものがいずれも限界がきたなという、いまそういう時代を迎えています。

普遍を追求することの無理

そもそも、「普遍思想」などというものはあるのでしょうか？　ゆるやかに「こういうことは大事にしましょうね」というぐらいの思想はあってもいいかもしれませんけれど、思想というものはもっとローカルなもので、日本の風土に合った思想とか、中国の風土に合った思想とか、ヨーロッパの風土に合った思想とか、そういうものこそが本来の思想ではなかったのかという気がします。経済のあり方などについても、もっと地域ごとに独自の経済のあり方があってよかったのではないか（＊1）。

実際、自然とか風土を相手にせざるをえないような分野、農業が代表的ですけれども、それ

（＊1）「もしある哲学が絶対的な真理だということになったら、人間がその哲学に命令されるというおかしなことが発生してしまうではないか」❹**『哲学の冒険』**（138頁）

「万国共通の自然や森の概念は重要ではない。……自然も森も本質的にローカルなものとしてあるのだと私は思う」❿**『森にかよう道』**（157頁）

「近代以降の社会は、第一に場所的普遍性の論理の追求と、第二に時間的普遍性の論理の否定の上に展開された」❻**『自然と人間の哲学』**（221頁）

は「世界の普遍農業」とはいかなくて、アメリカ農業のかたち、日本農業のかたちとか、やはり自然が違うわけですからやり方も違って当たり前なわけです。農村とか地域社会のつくられ方もやはり地域によって違いがでてくるのが当たり前のことで、風土とか自然に根ざしていれば、どうしてもそこにはそれぞれのローカル世界の違いが出てくる。

ところがそれを、世界中同じでよいという考え方で展開したのが近代という時代です。いまでもそれを追求している人たちは、農業でも、「世界共通農業」があるかのごとく発想で「日本農業は強い」とか「弱い」とか言っています。

それから、普遍――グローバルと言い直しても構わないのですけど――を追求していくと、一番グローバルなものは何かというと、じつはお金なんですね。たとえば1万円というお金は、東京にいても会津にいても、私の上野村にいても、どこにいても同じ1万円です。ドルも、アメリカでも日本でもヨーロッパでも、世界中どこに行っても100ドルは100ドル。円に換金すれば日本でも同じように使えるし、ましてや海外との取引などをやっていればそのままで使えます。まったく違いがない、つまりグローバルであるということです。

生産物には、文化的、風土的、自然的、歴史的なものが付着してきます。たとえば最近は和食に人気がありますけれど、日本料理にしか合わないような野菜もあって、それはある食文化のなかにおいて成立する野菜だと言えます。逆に、海外の食文化にははまるけれども僕らの口には合わない野菜もあったりします。ところが、お金だけは文化も、風土も自然も歴史も一切付着していない。つまり、グローバルなのです。

だから、普遍とかグローバルを追求する時代というのは結局、お金というものが最大の権力になる。お金が巨大権力となって世界を牛耳っていると言ってもいい（＊２）。

ところがそのお金というのがじつは虚構なのです。野菜だったら実体があるわけですけど、お金については「みんなが信用しているからお金である」というだけの話であって、日本のお金だって日銀が勝手に刷っている紙切れみたいなものなわけですけど、それを信用力のある紙切れとして、国が支え、日銀自身も支えている。私たちもそう思って使っている。だから実体としてはひとつの虚構なのに、あたかも実体があるかのごとく存在する。

こうして、虚構が世界を支配してしまう。そういうことが次々に発生してしまいます。

（＊２）「ヨーロッパの伝統思想は、すべてのものの動きをひとつの秩序のなかにとらえ、理想の秩序は確立しうると考える共通の精神をもっていた」「問題にされなければならないのは、この秩序理論である」⑫**『貨幣の思想史』**（85、120頁）

経済統計の虚構

いま、経済統計で明らかに変な操作がおこなわれていたというのが国会で騒ぎになり、政権からの指示があったのかどうかが問題になっています。でも、そもそも統計自体がじつは虚構にすぎないものになっていて、正しい経済統計とは何なのかというのが非常に難しくなっている。

たとえば、新車を買ったとなると、GDP上、100万円とか200万円とかのお金が動いたということになります。それだけGDPがかさ上げされるわけです。ところが、その車を誰かが売却して誰かが買ったと、つまり中古車を買ったということになりますと、中古車はGDPに計算されないのです。なぜかというと、新車の時点でGDPの計算は終わっているということだからです。家のなかで、息子がお父さんの車をもらい、お礼に10万円出したというのと同じ扱いなのです。さらにその車がその後10回ぐらいくり返し売買されたとすると、生活している人間からは十分必要な車が手に入っているのですから、実体のあるものとして生活の役に立つのですけど、統計上はまったく意味のない行為になるわけです。ですからメルカリなどで中古品を買うのも、アマゾンで古本を買うのも、GDPに関係ないのです。

それから、だんだん新品と中古の境が不明瞭になってもいます。たとえば、特に日本では、外国の車を買う場合、驚くほど値引いてくれることがあります。なぜそんなことが成立するかというと、ひとつは、車のイメージを良くするために値段を上げておいて値引率を大きくしている場合もありますけれど、もうひとつは、販売店自身が新車を買って、まったく使っていない車を中古車としてユーザーに販売するというやり方がある。「新古車」というのですけど、そういうのがけっこう出回っていて、場合によっては１００万円値引きしても成立してしまう。実際には乗っていないので新車なのですけど、統計上は中古車で、もはやＧＤＰに反映されない。

洋服も、インターネットで中古の洋服を買うよりもバーゲンセールのほうが安いということが物によってはある。この場合、中古と新品とは何なんでしょう。さらに、新品で買ったけども試着しただけで体に合わなかったからそのますぐに売った、となれば、これは中古なのか新品なのか。そういう微妙な問題がいたるところに発生してきている。実体経済を反映しないＧＤＰが統計上も発生しているのです。

統計を偽造したのかどうか以前に、そもそも正確な統計とは何かということ自体がかなり怪しくなってきているのがいまの状況なのです。

現在、「戦後最長の経済成長がつづいている」と言われています。これはたぶん統計的にはそうなのだろうと思うのです。ところが実際には、皆が「どこが成長しているんだ」という気分になっていると思います。私たちの感覚としては経済成長などまったくない。そういう意味でも、虚構の統計に基づいていろんなことが判断されている。

特に安倍内閣になってから、あの人は都合のいいことだけを言う人なものだから、たとえば「賃金は上昇しています」と言い張る。この間は、連合（日本労働組合総連合会）の統計を使ってそう言っていた。ところが昔から言われているように、連合の、ということはほとんど大手企業の正社員だけの統計です。中小企業はほとんど入っていないし、非正規雇用の人も入っていません。そんなものに基づいて「賃金は上がっている」と言われても困るんだけれど、という話です。それに、この間、税金も社会保険料などもかなり上がっていますので、わずかばかり賃金が上がったと仮定しても実際に使える可処分所得はみんな下がっているのが実際なのです。ともかくいまの政府というのは都合のいい数字だけをどこかから探してきて、それを言い張る。言い張っていればなんとかなる、そんな感じのことをやっている。

国境も虚構

北方四島はどこの国のものなのか。これも根本的に議論をしてもよいと思います。国後島などは、知床岬のほうに行けば目の前にみえています。新潟からみる佐渡よりも近くにみえる感じです。だからこれがロシア領というのは、ちょっと気分と合わんな、という感じがします。かといって、日本のものかというと、これも微妙な問題で、はっきり言えることは、北方先住民のものだということです。北方先住民が住んでいた場所を日本とロシアで領土分割しただけの話ですから。本来からいうと日本領でもないしロシア領でもない。北方先住民にお返しする場所ではないか。そう言いはじめたら、北海道全域を北方先住民にお返ししなきゃいけないという話になるかもしれないし、ロシアもシベリアから東の方は全部お返ししなきゃならないという話になる。

結局言えることは、国境というのは虚構だということです。だけど、その虚構をもとにして対立が起きたりいろんなことが発生する（＊3）。それが随所にあって、たとえば韓国との間でもめている竹島は、正確に言ったらどこの領土でもないのです。本来はどこの領土にも入らない、いわば共通の平和な島ぐらいでいいような場所です。もともと竹島は、あのへんを航行している船が嵐に遭遇したときに止まってやり過ごす、風よけに使っていた島です。完全な岩山

（＊3）「人間がつくりだした経済のほうには国境がなくなっているのに、その人間には国境がある。お前はそれを変だとは思わないかい」❹**『哲学の冒険』**（143頁）

「『戦争という仕事』は、国家や政治はつねに正しい判断を下しているという虚構を成立させることによって、「虚構の労働の誇り」を生み出す」「映像を結ばない政治が上位に立っているという、近代国家の仕組み……自然や人間の表情とともにある政治が上位にあるべきなのに、それが逆転している」⓮**『戦争という仕事』**（33、65頁）

なので、上陸するのも大変ですから。日本の船も朝鮮の船も、他の国の船もそうやって使っていた。そういう場所にすぎないのです。

いまの国際法の取り決めだと、領土というのは、一番はじめにどっちの国が領土としてちゃんとした編入をしたかで決まる。その基準でいうと、国際司法裁判所に提訴すればなんとなく日本が勝ちそうな島ではあるんですね。というのは、江戸時代に入った頃に島根藩が島根藩領としてちゃんと編入している。それがたぶん一番古い記録だろう。だから日本領だという話になっていく。

韓国のほうは、それより古いロシアの地図に竹島が朝鮮の島としてあるということを根拠に言っているのですけど、その地図をみても、船の乗組員が適当に描いたようなじつに杜撰な地図だし、島の場所も大きさも全然違うし、「これ、竹島じゃないんじゃないの?」としか言いようがなくて、韓国の主張はちょっと無理がある。

では島根藩はどうして竹島を島根藩領にしたのかというと、じつは島根藩は江戸時代に密貿易をやっていた。沖縄を中継地にして南蛮貿易をやり、それで藩財政をかなり賄っていたのです。江戸時代の途中でこれがバレまして、「竹島事件」といわれる重大事件に発展して――密貿易は当然禁止ですから――島根藩はあやうく取り潰しにされそうになった。ただ幕府のほうも取り潰すといろんな問題も起きるからと、結局、「悪い家老と悪徳商人が結託してやった話で、島根藩は関係がない」という島根藩の主張を幕府はのんだ。結果としては「悪い家老」とされた人が切腹をして、「悪い商人」とされた人が打ち首にあって、島根藩としては事なきを得た。こういう事件がありました。

なぜ「竹島事件」というのかというと、沖縄本島のことを日本では「竹島」と呼んでいたのです。竹が多かったのかもしれないですけど。島根から竹島（沖縄本島）に向けて船が出ていくのはマズい。それで、沖合にあった無人島を「竹島」とした。「竹島に行ってくる」と称しては沖縄に行っていたわけです。そういう密貿易の都合からあの島は「竹島」になったということなんです。

それを以て竹島は日本領だというなら、そもそも領土って何なんですかという感じなんですよね。それは尖閣諸島にも言えます。領土というもの自体がじつは虚構の部分をいっぱいもっている。もうちょっと知恵を使って「どっちのものでもない」ぐらいで本当はいいんじゃないかと思うのですけど。

韓国に行ってホテルでテレビをつけられた方は「えっ」と思うでしょうけど、韓国はチャンネルがいっぱいあって、全部で100チャンネルぐらいある。だから全部チャンネルを変えるだけですごく時間がかかるのですけど、チャンネルを変えるたびに5秒か10秒ぐらい、竹島の写真が出てくるんです。そういう宣伝がくり返されている。小学校に入ると子どもたちは「竹島は韓国のもの」という歌を学校でガンガン唄うことになります。あの歌も「うーん」と思うのは、「竹島は韓国のもの」はまだいいとして、冒頭に「ハワイはアメリカのもの」と、それで「竹島は韓国のもの」と、そんな歌詞になっているんですけれど、ハワイってアメリカのものですか？　現在はアメリカの領土には違いないですが、あれもやはりハワイ先住民のもので、アメリカが勝手に併合したものですから。

虚構が実体を支配する世界

そういうふうに、私たちは虚構に振り回されているのです。だけれども、そのことによって実体を伴った争いとかそういうものが発生してしまう。虚構が実体をつくるというおかしな構造ができあがっているのです。それはさっき述べたお金と一緒で、お金自体は虚構なのですが、お金を利用することによって実体が成立してしまう。いまの政府もそうで、虚構のようなことを言いまくると、言っているうちにそれが実体になる（＊4）。

北方四島も、「四島は固有の領土」と言っていたのに、いつの間にか「二島だけでいい」という話になってきた。そのうちに「二島でなくても行き来できればよい」とか「経済的権益が多少確保できればいい」とか、そんな話になりかねない。どうしてそういう転換をしたのか説明もない。それを追求されると「国際的な問題は相手との交渉があるから公表できない」と言い張ってくる。ここでも結局、四島から二島に変えるという話自体がまったくひとつの虚構で、だけどそれで取り決めがおこなわれてしまえばそれが実体になるという構造です。

お金が虚構でも、実体に虚構としてのお金で値段をつけるというだけだったらまだいいのですが、いまは、お金のほうが権力をもってそれが実体を牛耳るという、そういうかたちがいろんなところで起きてくる。だから社会自体が巨大な虚構社会みたいになってきていて、経済も虚構の経済、世界も虚構の世界、こんな感じになってきています。

それは個々の企業経営でもそうで、カルロス・ゴーンさんがやった日産改革というのも、ひとつの虚構だった。つまり、もっていたものを全部売って「V字回復」と言っているだけで、肝心の車が売れるようになったわけでもなんでもないですし。彼がやったベルサイユ宮殿の結婚式などはいかにも虚構の結婚式という感じで、よくもあんな恥ずかしいことをやったなとい

（＊４）「お金で買えるものは本質の抜け落ちたぬけがらだけなのに、そのぬけがらを集めることが意味あることだと思う精神に、僕たち自身がなっているから、所有欲だけが生まれてくる」❹『**哲学の冒険**』（111頁）
「本当は実体のないもの、近代的意味秩序によってつくられたにすぎないものが、社会の基礎になってしまうなんて何かが転倒している」❼『**続・哲学の冒険**』（161頁）
「マルクスにとって資本主義社会とは、お金や商品、社会システムが「神」の地位を獲得して、人間がその下僕になる社会のことであった」❽『**戦後思想の旅から**』（127頁）

う感じがしますけど、彼にとってはあれが実体のある結婚式だったのでしょう。

日本の個々の企業も虚構の経営みたいな感じになってきた。実体のない虚構が経営をつくっていくというような、だんだんそんな感じになってきて、そういうなかで日本製品の優位性みたいなものがなくなってくる。昔あったような「日本製品はともかく丈夫につくられていて故障がない」、あのこと自体がいまでは神話のようになってきています。

虚構が世界を支配しているがゆえに問題が起きる、そういう時代にだんだんなってきているのです。虚構が世界を支配した一番の原因は、普遍を求めたことにあると僕は思っています。普遍を求めた結果として、結局お金という虚構が世界を支配するという構造になり、実体が世界を支配するというかたちではなくなってしまった。そうするとその虚構が崩れていったときに果たして何が起こるのか？　これからも虚構を維持できるか？　こういう時代にいまきているので、これから何が起きるのか、まったく私たちはわかりません。そういうふうにしか言いようがないということなのです。

そういうときにはむしろ私たちはちゃんとした実体に戻っていくべきでしょう。ちゃんとした実体とは何かというと、日本的な風土とか日本的なものの考え方といったように、もともと歴史のなかでローカルに積み上げられてきたものです。そこをもう一度きちっとみながら、自分たちの足場を固めていくことが必要なんだろうと思っています。

日本の伝統的社会観の特徴

「日本的」も虚構

いま「日本的」という言葉を使ったのですけれど、これも微妙で、「日本的」という言い方自体、ひとつの虚構であることは確かです。「日本の範囲ってどこですか？」となると、「古代から、青森から鹿児島ぐらいまでは一応、日本だった」という言い方ができないでもない。北海道は、江戸期に松前藩ができますけど大半は北方先住民の地ですし、奄美諸島は江戸時代に薩摩藩が併合したから日本になったわけだし、沖縄にいたっては明治5年（1872年）の琉球藩設置にはじまり、明治12年（1879年）に軍隊を派遣して併合してしまったという歴史ですから、沖縄が日本になったのはつい最近と言ってもいい。もしもこの間の戦争で日本が負けていなければ、台湾は日本領のままでしょうから、沖縄が日本だった歴史は台湾が日本だった歴史とあまり変わらないことになります。

もっと古くから言えば、鹿児島はもともと隼人《はやと》のものだし、熊本は熊襲《くまそ》の地だし、東北は蝦夷《えみし》の土地と言ってもいい。蝦夷というのは、蝦夷という名の民族がいたわけではなくて、都の人たちからみた「辺境の人」という意味です。そこにはアイヌ系の人もいただろうし、縄文以来の土着民とかそういう人もいただろうし、いろんな人がいたのでしょうけど、都からみれば辺境というわけです。もとからすれば、蝦夷の地はいまの岐阜県ぐらいからはじまっていたわけで、滋賀県の先は辺境だったのです。それをだんだん攻めては押さえていくから、辺境が北へ北へと移動していく。福島県と茨城県の境あたりに勿来《なこそ》という場所がありますけど、勿来というのは地の果てという意味ですから、都の人からみるとあのへんが地の果てだったということなのでしょうね。いつの基準で「日本」と言うのかというと、じつはきわめて微妙なのです。

それから、北海道から沖縄までを日本にしている以上、気候風土が全然違う日本がある。豪雪地帯の風土もあるし、沖縄の風土もあるし、それもまた本当に実体に即して言ってしまえば、「日本」というとらえ方自体が正確とは言えないということになる。深く掘り下げていけばローカルというのはだんだん小さくなっていくということです。

欧米の社会観――生きている人間だけの社会

ただ、日本には共通しているものの考え方というのも、あることはあります。そのひとつは社会観です。

欧米の社会観は、生きている人間たちによってつくられているものを社会と呼んできた。

欧米の近代思想はキリスト教時代につくった思想が変形してできたという性格が強いので、さっき言った普遍思想という考え方もキリスト教普遍主義がもとにあります。もともとのキリスト教的な考え方では、「キリスト教のみが唯一正しい普遍思想で、それが世界化していけば世界は良くなる」という考え方がありました。それが近代になると、宗教の問題は個々人の問題というふうにされましたので、「キリスト教が」というところは外れたのですけども、「世界には普遍思想があって、それが世界に広がっていけば世界は良くなる」という、そこの部分だけは残った。「その世界の普遍思想をつくっているのはヨーロッパである」という、そこも残った。キリスト教だけがちょっと梯子を外されたかたちになったけれども、もとの骨格は残っているのです。

そうすると社会観でも、キリスト教は人間は死ぬと神様に召されてしまって、神様の判定を受けて天国か地獄に行くというかたちになりますし、カトリックだったら煉獄という中間みたいなところもあるのでその三つのどこかに行くという感じになりますけれど、どっちにしてもこの世界からは消えるわけで、どこか遠い世界に移行する、そういう考え方です。

奉仕の体系

それからキリスト教の考え方は「奉仕」というものを非常に重要視するところがあります。

いま、奉仕というと、「奉仕活動をする」というように、立派な活動みたいに言われていて、いまの教会はそういうことを大事にしているところがたくさんありますけど、もともとの奉仕というのはそういうことではなくて、「この社会は下位のものが上位のものに奉仕する構造でできている」というとらえ方でした。昔で言うと、一番下位の生き物として草木があって、その草木は上位の生き物である動物に奉仕する義務がある。だから上位の生き物は、草を食べたりする権利をもっている。同じように、虫は鳥に奉仕する義務をもつから、鳥は虫を食べても構わない。そしてその鳥をより上位の動物が獲って食べるというのもまた神の摂理にしたがうというかたちになっているわけです。この世界は奉仕を軸にしたピラミッド構造をつくっているということなのです。だから人間は全部を利用して構わないということになります。この差は何が基準になっているかというと、人間だけは知性をもっている。動物たちは知性はないけど、危険だと思うと逃げるというようにある種の判断力とか感覚とかはもっている。ミミズみたいな、感覚もないと思われた、そういうのは下位。そして最下位の草木は、知性もなければ判断力もなければ感覚もないと。イネは刈った瞬間に「イテッ」と言っているかもしれないのですけど（笑）、人間にはそう思えなかったわけです。こういう奉仕の体系の一番上に、神という超越者がいて、その下にキリストがいて――このへんは宗派によって解釈が違いますが。キリストは神であるというとらえ方をする宗派もあるし、神のお告げを伝えている人という位置づけの宗派もある――、その下あたりに聖人がいます。ローマ法王とかは死ぬと聖人になります。ここも、奉仕の体系なのです。だから人間は神、キリストに奉仕するということなのです。こういうような考え方があったので、自然というのは人間たちに奉仕する対象、いわば我々の召使いであると考えられていた。

こういった発想は近代になっても横滑りしてきます。一応、社会思想としてはこの宗教の部分は消えた。この部分は個々人の信仰の自由ということになって、社会理論に組み込むのはやめますとなった。なぜかというと中世のヨーロッパ社会は宗教権力と政治権力が結託してじつに悪辣なことをくり返した。ですから「もうそういうことをしちゃダメですよ」というのが近代の約束になった。ただ、奉仕の体系というこの考え方は依然として強固に残った。

いまは「自然保護」とか、皆さん大事に言うようになりましたけど、「人間が生きていくために、この『下』がぶっ壊れてしまうと結局私たちが生きていきにくくなるから」という、人間を守るための自然保護という考え方がやはり欧米では強い（＊5）。

捕鯨論争の不毛

ところが、生き物のなかにも、若干の知性をもっているものがあると思われるようになってきました。僕らからすると、犬とか猫にも知性があるに決まっているじゃないかって、場合によっては人間より知性があるかもしれないと思っているわけですけども。

じつはキリスト教社会ではこれは大変な論争を生んだのです。牛とか馬とかにどうも知性があるらしい、とするとそれを食べていいのかという議論が生まれた。結局、中世にローマ法王の裁定で、「野生の馬や牛は知性があるから食べてはいけない。ただし飼育されている牛や馬は、人間に奉仕すべく生まれてきたのだから、食べて構わない」ということになりました。イルカとかクジラは、最近になって、知性があることになった。そうすると日本人が、和歌山県などでは一部にイルカを食べる地域がありますし、クジラは食べていましたから、「日本人は野蛮人だ」ということになってきて、これが捕鯨問題の根源にある。こういう問題でもキリスト教時代の発想が横滑りしているのです。

ただ僕は、「クジラは日本の食文化」という言い方には反対です。なぜかというと、クジラを食べている地域は限定されるんですね。三陸とか和歌山県とか房総などで、沿岸に寄ってくるイワシクジラなどを捕って食べていた。山形の一部内陸地域には、塩漬けにされて入ってきてもいます。ただ、そういう地域がそこらじゅうにあったわけでもない。山形ですと最上川があったので、船に乗せて入ってきたのでしょうけど、他の地域になると無理してクジラを食べなくてもよかったわけで、他にも食べものがいっぱいある。ですから、そんなに日本中でクジラを食べていたわけでもない。日本のなかのあるローカルな食文化がクジラなのであって、南極の近くにまでクジラを捕りに行くなどというのは日本の食文化ではないのです。だから僕の子どものときはむしろ一種の代用食みたいな感じで、学校の給食でもクジラがよくでることがありましたけれど、あんなのは戦後の食糧危機において発生した食べ方で、日本の食文化とは言いがたい。敗戦の食文化みたいなものです。

ただ、そっちのほうも違うんだけれど、文句を言ってきているほうも「クジラには知性があるからダメ」みたいなのが根底にある。そうすると捕鯨をめぐる対立といっても、これもまた虚構の対立というか、双方の論理が虚構なんです。さっき言ったように、クジラが来る沿岸地域にクジラの食文化があり、一部塩漬けが内陸のほうに運ばれたというのは実体のある話だけれど、「日本の食文化」と言った途端に虚構になるということです。

（＊５）「川を自然保護の対象としてみることが、川を生活の外のものとみることと、どこか通じている」「山村の自立経済……の再建……なしには、本当の岩魚保護はできない」❷『**山里の釣りから**』（52、241〜248頁）

「現在の〝壊れゆく自然〟を人間の手で保護、管理していこうとする発想には、それだけではとても賛成することはできない」（139頁）「主人たる人間が主人の立場から自然をみようとする……ヨーロッパ的ヒューマニズムの、即ち人間中心主義」❻『**自然と人間の哲学**』（276頁）

保護か利用かの二項対立をこえた、森と人との関係の再構築について――❿『**森にかよう道**』

自然と死者と生者の社会

欧米の場合、社会というと、死者は神様に連れていかれてしまうし、自然は奉仕義務をもった下位のものにすぎないので、そうすると社会をつくっているのは知性をもっている人間だけ、しかも生きている人間だけというふうに考えられてきました。

ところが日本の場合は、社会を自然と人間がつくるものとしてとらえてきた。自然も構成メンバーで、少なくとも私たちと対等な社会のメンバーだった。それともうひとつ、人間のなかに生きている人間だけではなく死者をふくんできたというのが日本の特徴です。習慣としてはいまでも残っていますが、たとえば家に仏壇があったりして、ちょっと家を空けるときなどは仏壇に向かって一声掛けてから出かけるとか、ちょっといい物をもらうととりあえず仏壇にもっていって供えて、それから私たちがもらうとか、そういうふうな習慣はけっこう日本では根強い。しかも若い人たちもそうで、最初は「仏壇なんかいらない」という感じだった人も、家族が亡くなったりすると仏壇が欲しくなる。だから東京ではいま、小さいかわいい仏壇、デザイン系の仏壇がけっこうたくさん売られています。東京の家は立派な仏壇を置く場所がないですから。仏壇じゃなくても、何か台の一角に位牌を置いたり写真を置いたり、あるいはもらったものを置いたり、そんな仏壇のような場所をつくる人も多い。

それは、やっぱりそのほうがなんとなく気持ちの安定性がよいといいますか。つまり人が亡くなった場合に、亡くなった人がどこかへ行ってしまったわけではなくて、いまでも自分との関係のなかで生きているというようなとらえ方をいまの若い人でもする。死者はいなくなったわけではなくて、依然として私たちと関係を結べるところにいて、だから社会の構成メンバーには死者もふくむというのが日本のとらえ方です。つまり、社会は自然と生者と死者によってつくられていると考えてきた。

日本の自治――自然と死者の意見を入れる

だから「自治」というとき、欧米の自治は生きている人間たちで議論してルールをつくって実行すればよいということになるのだけれど、日本の場合には何かを取り決めるときに自然の意見と死者の意見を入れなければいけないという考え方があって、じつはこれがあるから取り決めしやすいとも言えるんです。なぜかというと、生きている人間だけで決定すると、原理的には簡単なんですけど、実際には生きている人間の意見は一致しませんし、やっぱり言い張る人もでてくるし、そうするとなかなか皆でルールを決めていくのはやっかいなことになる。ところが自然の意見とか死者（ご先祖様）の意見を入れて決めると、つまり生きている人間だけで決めちゃいけないということになってくると、なんとなくそっちのほうが意見を集約するのにやりやすいということなのです。

この前の原発事故でも、原発推進派って現代人なんだなという気がしたのは、原発をつくるかつくらないかは別問題として、こういうことを議論するときに日本の作法だったら、「自然は原発をつくることを許しているのか」ということと、もうひとつ、「ご先祖様は『原発つくってよかったね』と言っているか」という、このふたつの議論が絶対に要るのです。それで「自然もご先祖様も『つくれ』と言っているんだったらひとつつくりましょう」という意見のだし方もあるんだけれど、推進派の意見は自然やご先祖様に聞いてみるという手続きを踏んでいない。

じつは最近行ったあるところに、放射性廃棄物の最終貯蔵所の建設地として有力視されている地域がありまして、もちろんまだつくっていないのですけれど、密かに政府から打診されているという。住民は当然ながら賛成派と反対派がいて、それを正式に議論してしまうと地域が分裂するので、皆知っているのに議論してはいけないというようなムードになっています。賛成派と思われる人たちは「それができてくれたら家が建て替えられる」とか「子どもに家を買ってあげられる」と、「カネがくるぞ」と。反対派の人たちは、放射性廃棄物は本来10万年ぐらい保管しなければいけなくなりますから、「そんな長期にわたって危ないものをもってくるわけにいかない、だから反対だ」と。僕がそれをみていて感じるのは、賛成派も反対派も、生きている人間の論理だけで言っている。やっぱり自然とご先祖様の意見を聞かないと。放射性廃棄物をもってきて自然が喜んでいるとか、あるいはご先祖様が「よかった」と言っているとかいうのだったらいいですけど。

本当はそういうかたちでうまくやってきたのが日本の社会だったのです。たぶん自然とご先祖様の意見を入れちゃえば、原発を喜んでくれるとは到底思えないので、やっぱり落ち着く結論に落ち着く（＊６）。

祭りと年中行事は自治の仕組み

ただし、自然やご先祖様は会議を開いても出てきてくれないので、結果としては生きている人間たちが自然やご先祖様の意見を反映させて言わなければいけない。その代理人的役割を果たさなければいけない。そのために重要になってくるのが祭りとか年中行事です。祭りで自然の神様を降ろしてきたり、年中行事でお彼岸をやったりお盆をやったり、年中行事ではないけど家のなかに仏壇があったりして毎日なんとなくご先祖様と会話しているとか。そういうこと

（＊６）かつて上野村にも巨大ダムやゴルフ場の計画があったが……❷『山里の釣りから』（110頁～）、⓭『里の在処』（188頁～）

をくり返しながら、自然やご先祖様の意見も自分の意見のなかに反映させていく。そういう人間に、生きている人間がなっていくということが必要で、それを可能にする場も地域のなかに設けているのが祭りとか年中行事なのです。だから日本の祭りとか年中行事は自治の仕組みと考えてもいいぐらいで、あれがあるから自然やご先祖様の意見が自分の意見として反映するということができた（＊7）。

そういうやり方で日本の社会をつくってきたということも、もう一度ちゃんと見直してもよいというか、そういう作法をもう一度回復しないと、という気がします。生きている人間だけだと単純に利害対立になってしまうということです。

権力と民衆

古代――中央集権的権力の確立は失敗

大雑把に日本における権力と民衆の関係をみていくと、「魏志倭人伝」に卑弥呼とかが出てきますけど、あのへんは地域豪族の世界で、まだ日本という統一社会があるわけではない。その後、大和朝廷ができていくわけですけれども、これもまた豪族連合であって、日本という統一国家をつくったわけではない。日本という統一国家ができるのは律令制ができていく頃、５００～６００年代です。律令制というのは、いわば統一の法律と統一の制度下にある日本をつくるという試みです。

その先鞭を付けた人として聖徳太子がいる――いまは聖徳太子ではなく厩戸皇子《うまやどのおうじ》といいますけど。たぶん相当優秀な人だったのでしょう。それともうひとつ、ブレーンをかなりもっていて、官僚組織みたいなものを自分のブレーンとしてつくっていて、そこでいわば統一日本の最初の入口をつくった。十七条の憲法とか、官位十二階という統一国家の位階制をつくったりした。その延長線上でだんだん律令制をつくっていきます。

だから６００年代ぐらいになってくると、中国の真似をしたとも言えるけど、律令制の日本ができていって、そこでは日本の土地とか人民は国王のものであるということになって、国王のものである土地を人民に一代限りで貸し付ける。貸し付けられた人が百姓として年貢（地代）を払うというかたちになった。そのうちに百姓一代だけに貸してしまうとだんだん土地が荒れてくる、それでこの制度は無理になって三代貸すという約束になったり、だんだん変更していくのですけれど。

（＊7）「祭りをとおして村人は自分たちが暮らす時空の再確認をする」⑮『共同体の基礎理論』（56頁）

大和朝廷が支配した「日本」とはどこか

この律令制時代の日本はそんなに広い範囲の日本ではなくて、じつは畿内地域から瀬戸内海を通って北九州ぐらいまでの地域でしかない。

「古事記」という本はある種の歴史的事実と神話とがごっちゃになって書かれている。つまり神話なのだけどよくみると一部真実が入っているというような本です。たとえば天照《あまてらす》の孫の邇邇芸命《ににぎのみこと》が天孫降臨をして日本の地に立ったということになっているのですが、それが何を意味するかというと、天皇一族は日本の土着民ではなかったということ。よそからやって来て日本に入った。歴史学的にはやはり朝鮮半島から来たのだろうというのが一般的ですけれど、それが天から降りて来たという話にすり替わっている。

だけども真実っぽいものも一部垣間みられます。日本武尊《やまとたけるのみこと》が熊襲退治だけでなく、関東まで、わが群馬県上野村にまで来て、いろいろな所を平定して歩いたという話になっています。本当に日本武尊が歩いていたのかわかりませんけど、朝廷の一部の軍勢がそこらじゅう平定して歩いたということだったのでしょう。ただそのときの平定の仕方というのが、戦で勝つというばかりではなくて、そこのお姫様を嫁にもらったりとか、そんな話がいっぱいでてきます。そうやって血縁を結んだりいろいろなことをしながら懐柔して歩くという感じが強かったのでしょう。

その日本武尊が最後に伊吹山で死んだ。伊吹山は滋賀県の東の端の山で、山の向こう側は岐阜です。そこの山の神を退治しに行って、その山の神の怒りに触れたので大嵐になって、嵐で日本武尊は病気になって、どうも肺炎になって死んだらしいという話です。この話も、山の神を退治に行くというのは、山の神信仰をもっている、大和朝廷になびいていない土着の勢力がいたということだし、伊吹山という滋賀県の山、そこがまだ大和朝廷の勢力圏になっていなかったということです。だから平定に行ったということでしょう（＊８）。

平安時代になっても、丹後半島のほうに行くと魑魅魍魎《ちみもうりょう》がいて、それを酒呑童子《しゅてんどうじ》が退治に行くとかそんな話がある。魑魅魍魎は何かというと、都に屈服しない抵抗勢力みたいなものが丹後のほうには群雄割拠していたということだと思うのです。

大和朝廷ってまだこれぐらいの勢力だったのだということがみえてきます。結局、統一国家をつくりはしたけども、その統一国家はきわめて小さな国家であった。しかもそれは無理があって、さっき言ったように土地は国王のもの、人民も国王のものみたいにしたのだけれど

（＊８）古代の支配者たちの「木の文化」と、里に暮らす人々の「森の文化」について――⑩『森にかよう道』（100頁～）

も、そういうやり方は無理があってどんどん修正をして、それでも難しくて結局は荘園制に移行していく。荘園制だと、荘園領主に支配を代行してもらうという感じです。もっとローカルな単位で荘園領主に権力を代行してもらってうまく年貢をとってもらうという、そんな仕組みに変えていく。

どうしてうまくいかなかったのかというと、日本の場合は、中央権力ができる前に、人びとがつくった自律的な共同体が各地に展開していた。その自律的な共同体をおさえて自分の支配下に入れていこうとする歴史が大和朝廷の歴史なのですけれど、それが必ずしもうまくいかない。つまり共同体の力が強かったということです。さっき言ったように伊吹山がまだ勢力下に入らないとか、平安時代に至っても丹後がダメとか、もちろん東北に行っちゃえば全然ダメとか、そういうことだった。日本の社会は、けっこう強い共同体権力と中央権力とのせめぎ合いのなかに展開したというふうに言ってもよい。

中世——武装した共同体

中世になってくると、共同体自体が武装して、農民武士団の時代に移行してきます。だから武士と農民というのは本来区別がなかった。武士だと言ってしまえば武士ですけれど、普段何をやっているかといえば、百姓をやっている。そういう時代が鎌倉時代として成立してきます。ですから鎌倉時代からの日本は、安定しないというか、そこらじゅうで小さい戦がくり返されることになりました。というのは共同体自体が武装していますから、水争いとか境界線争いとかが起きてくると、そこから戦が発生しやすい。ですから鎌倉時代はしょっちゅういろんな地域で戦をくり返しているという時代でした。鎌倉が終わって室町に入ると、ますますそういう様相を呈してきます。室町幕府といっても、幕府が幕府の体をなしたのは義満・義政の頃ぐらいで、それ以外の時期は戦国時代に近い。

そして次は本当に戦国時代になってしまう。そうなった一番の理由は、どうも気候が悪かったらしい。つまり氷河期のような、とまで言うと大げさなんだけれども、とにかく日本が寒かったということです。だから米が十分に穫れなかった。その結果として、隣の村の米を取りにいった。そういうことが頻発したことと、農村での生活が安定しないものだから、むしろ都市的な社会で生きようとする人たちがふえてきた。商人の時代みたいな感じで、しかも南蛮人たちがやって来るものだから、外国貿易もふくめて商業・工業的基盤で生きようとする人たちと、同時に戦国時代ですから、足軽というかたちで絶えず人員募集をかけていますから、そっちのほうに行ってなんとかしようとする人たちが増加していく。だから戦国時代の大きい大名たちは、農村を基盤にして大きくなった人はいない。むしろ貿易とか、たとえば武田信玄だったら金山の開発とか、上杉謙信だと日本海貿易とか、信長もまた貿易が基盤です。農村を基盤にしたのでは大きい大名にのし上がることができなかった。それは気候の不安定さからで、日本中で冷害が発生したのだと思えばよいのです。

江戸時代――惣村自治の確立

江戸期になると、今度は逆に気候が安定してきて、都市で右往左往しているよりも農村にいて百姓をやっているほうが基盤がしっかりするという状況に戻っていきました。だから江戸期は、また農民の時代、農村の時代をつくることになった。ただ徳川幕府は、中世の武装した農民武士団の不安定さがあるから自分たちの支配も貫徹しなかったという思いもあって、結局何をしたかというと、農民から武器を全部取り上げました。刀狩です。さらに武士を城下町に集めて、武士と農民を分離させるという政策をとることになった。このやり方は秀吉の頃の発案なのですが、秀吉は刀狩令はだしているけれど実行はできていない。実行できたのは家康になってからです。

その結果江戸期には城下町の形成が各地で進んでいく。そうすると農村に武士がいなくなっちゃいますから、農村では百姓による惣村自治が確立する。百姓たちが寄り合いで自分たちのルールを決めていくというやり方です。そのときのルールの決め方のなかに、さっき言った自然と生者と死者の世界、そのことを踏まえたルールづくりができあがっていきました。いま、ある程度高齢になった人たちは、子どもだった頃に「そういうことをするとご先祖様が悲しがる」とかそういう叱られ方をしていたでしょう。

「ご先祖様」と惣村自治

ただし「ご先祖様」というのはもともと、私たちの地域社会をつくってくれた人たちみんなを呼ぶ言葉でした。明治以降になると「わが家の」ご先祖様をそう呼ぶようになるのですが、もともとは「地域の」ご先祖様なのです。江戸期に檀家制度ができて、お寺が過去帳をつくって戸籍管理をするというかたちになったので、「わが家の先祖」がそのことによって発生してはきましたけれど。記憶のなかではわが家の先祖がいる。たとえば自分が知っているおじいさんおばあさんとか、その人たちのことは覚えているし、わが家の先祖なんだけれども、それは代々記録していくような先祖ではなくて、もともとは、地域社会の人たちが全員ご先祖様だったのです。

盆踊りも、原型は鎌倉時代にあるのですけれど、あれもお盆のときに帰って来たご先祖様をみんなで楽しませる行事なのです。ご先祖様を楽しませるためには生きている人間も楽しまなければいけないというのが日本の発想にあって、皆が楽しく盆踊りをやっているのをみるとご先祖様も「うちの村もうまくいっているらしい。よかった、よかった」と喜んでくれる。ご先祖様を楽しませ自分たちも楽しむ、そんな感じで盆踊りができるのですが、この場合も「うちのご先祖様」ではないわけで、地域社会のご先祖様全部が帰って来て、そこで皆して楽しませるというやり方なのです。

去年8月に神奈川県の真鶴《まなづる》海岸に行ったら、お盆の行事をやっていました。お坊さんが10人ぐらい来てお経をあげ、皆でお焼香をして、それから海岸で盆踊りをして、最後は花火大会で、沖にご先祖様が帰っていく船をたくさん浮かべて精霊流し、というような行事です。どうもここのご先祖様は海のほうに帰っていくらしいのですね。それをみていて、ここは地域社会のご先祖様がまだ生きていると感じました。僕もそこにいたので「どうぞお焼香してください」と言われるから、「私はこのへんの人間ではなくて、たまたま来ているだけですから」と言うと、「いやいや、ここに来たということがひとつの縁で、来た以上は焼香を」と言うので、「それじゃ」と焼香させてもらいました。昔の地域社会のとらえ方がまだこんなところで生きているんだという感じがしました。つまり、惣村自治のなかでもう一度、自然と生者と死者の世界が再確立され強化されていったのです。

明治以降——国民の形成、国家による民衆支配

明治になると、国民の形成、国家の形成によって、日本の歴史上はじめて、そういう共同体

的世界に終止符を打つ、そういう行為がはじまった。明治維新ですべて終止符が打たれたわけではないのだけれど、はじめて統一国家というものが強固にできあがって、人間たちも国民という統一人間になって国家のもとに一元管理されるという時代がはじまって、民衆が社会を支配する時代の終了へと向かった。大雑把に日本の歴史をみると、そんな歴史だと考えてよい。しかしその明治以降の歴史がいま、壁にぶつかっているということなのです。

私たちはもういっぺん、江戸期までの日本の歴史、日本の民衆の歴史をきちっと見直すところからはじめなければいけないのだろうと思います。

結び合って暮らす社会へ

多層的共同体

いま「共同体」という言葉を使ったのですが、この言葉は翻訳言語だろうと思うのです。というのは、江戸期までの文献に「共同体」はないですから。おそらく、明治になって「コミュニティ」の訳語として生まれたのが「共同体」です。英語から訳したのか、ドイツ語から訳したのが先だったのかはわかりませんけれど。江戸期までの日本ではただ町とか村とか、それから講という組織が数多くあって、お葬式も講でやるし、庚申《こうしん》信仰が広まると庚申講が活発になったり、山岳信仰と結んでいる富士講とか伊勢講とかそういう講もたくさんあったし、とにかく○○講がいっぱいありました。そういうものもひとつの共同体と言えます。そんな感じで呼ばれていたものがもともとの共同体で、共同体というのはひとつの組織ではなくて、講のようなある意味で任意団体に近いようなものもあるし、それから「わが町」とか「わが村」とかいうようなものもある。

「わが町」「わが村」という共同体もじつはひとつではありません。たとえば僕が暮らしているのは、上野村のなかでも江戸時代の楢原《ならはら》村、そのなかの須郷《すごう》集落というところです。須郷でひとつの共同体でもあるし、楢原村ぐらいでもうちょっと広域の共同体という言い方もできるし、最終的には上野村としてひとつの共同体でもある。ひとつではなく多層的。明治に上野村ができてから一度も合併していないので、本当に上野村はひとつの共同体みたいな雰囲気もあります。それ以外に檀家さんの共同体もあるし、氏子さんのものもあるし、伝統芸能を守っている共同体もあるし、職業別のものもあるし、つまりいろんな共同体がある。いまでは、講としての共同体はだいぶ衰弱して減ってはいますけど。

そういうものの集積体が、全体としてはひとつの共同体社会を形成している。一人の人間がいくつもの共同体に属している。そういうものが積み重なっている社会こそが共同体社会。そういうふうにみていかなければいけないのです（＊9）。

ヨーロッパの共同体との違い

かつてのたとえば大塚久雄さんの共同体論などでは、ヨーロッパの共同体がモデルなのですね。それを強引に日本に当てはめようとした。ヨーロッパの共同体は、どんな小さな町や村でも、家がけっこう密集していて小さな都市を形成している。日本の場合だったら点々と家が散らばっているけれど、向こうは密集している。これは戦が多かった地域の町のつくり方です。特に戦が多かった地域になると、家の密集している場所の外側が塀で囲まれている。この塀も高いのだと5〜6メートルくらいある。それで入口には砦みたいなものが形成されている。向こうは本当に戦争が多かったので、バラバラに住むなんてできなかった。

しかも中心部に必ず領主の館があって、その横に必ず教会と広場がある。だいたいこういうつくりになっています。つまり教会と領主権力が結託して支配しているのが景観からもみえて

（＊9）多層的共同体や講について詳しくは、⑬『**里の在処**』所収「**多層的精神のかたち**」（214頁〜）、⑮『**共同体の基礎理論**』**共同体のかたち**（81頁〜）、**都市型共同体の記憶**（135頁〜）

くるのです。たぶん領主さんはここに一生の間に一度来るかどうかぐらいで、小さい町や村には領主の家来が来ているのでしょうけれど。とにかく、支配権力が村のなかに直接入ってきて、直接統治をしているのが向こうの中世の町や村の性格です。

必ず広場がある理由は、いまは広場は憩いの場所みたいな感じで使われていますが、もともとは人をここに集めて命令をだしたり、自分たちに背いた人たちをみせしめに処刑をした。そういう権力装置としてあった場所です。だからヨーロッパはどこにいっても広場があった。日本は、特に江戸期になると、武士が村にいないという世界をつくっていくので、こういう場所が必要ではなかった。だから日本には広場がない。日本の場合は広場は臨時的につくられるのです。神社の境内がお祭りのときには広場になるし、ときにはお寺の境内が何々市みたいな広場になったり、旅芸人が来ると「辻」が広場になったりもしました。辻というのは十字路、道が交錯する場所のことです。ここが歩行者天国のようになって出店がでたり小屋が建ったり、そんな感じで臨時的な広場ができ、終わればまたもとの道に戻る。辻芸人的な人が絶えず来たりしてそこに人が集まってくる、そういうかたちで成り立っていた。

そういう点でもヨーロッパ世界と日本の世界ではかなりいろんなものが違うわけで、むしろこれからはそういう違いをきちっと認識して、我々はどうあるべきかを考えていく時代に移っていくのだろうという気がします。

一体性をつくり直す

人間たちが生きていくためには、いろいろな要素が必要になってきます。たとえば「自然」という要素が必要になりますし、木の実を拾いに行くにしてもなんらかの「労働」が必要になる。労働が発生すると、「たくさん採れたからあげるよ」という程度の、つまり贈答、贈与というかたちのものであったとしても、必ずなんらかの流通、「経済」が発生する。もちろん、人が暮らしていくのだから「暮らし」がなければいけないし、さらに人びとが定着するようになるとそこには「地域」が発生するし、地域が発生すると必ず「文化」が生まれるし、さらに地域地域の土着的な「信仰」も発生してくる。僕の村だと山の神信仰とか水の神信仰とかが一番多いのですけれど、田んぼのあるところだったら田の神信仰とか、そういうのがいまでもつづいている地域もあるし、こういうものはすべて、宗教とは言えないような土着的な信仰なのです。人間たちがある程度、定住的・安定的な生活をするようになると、必ずそういうものも発生する。

いま言ったようないろんな要素がじつは相互性をもっていて一体的であるのが、前近代社会、つまり伝統社会の特徴です。つまり「労働」のなかにも神様がいるし、「生活」のなかにもいるし、とかです。またそういうところから発生してくる考え方が贈答・贈与といった「経済」にも反映していく。つまり全部が一体性をもっている。どこかだけを切り取ることができない。たとえば「労働」と「生活」をどこで分けるのかは難しい。それが伝統社会のあり方で、これは世界中どこでも変わらないようです。

それに対して近代社会は、そういう要素のひとつ一つを独立させてバラバラにしていきました。労働は労働、経済は経済、暮らしは暮らし、地域は地域……。そういう時代に移っていった。その結果として、経済だけが肥大化し、ついには暴走するようになった。経済が暴走してくると、逆に他の要素が壊されてしまう。だから「経済は発展したけれど暮らしは無茶苦茶になった」とか、「経済は発展したけど地域は壊れてしまった」とか「文化がなくなってきた」とか、「土着的な信仰も消えてきた」とか。それがいまの近代世界で、これまた世界共通と言ってもよい(＊10)。

ですから、労働とか暮らしとか文化とか自然とか、そういういろんなものが一体的に展開できるような世界こそが、私たちが安心感をもって無事に生きることができる世界ではないのか。それこそが虚構ではない世界ではないか。そういうことを考える必要性が生じてきた。

経済だけが暴走して結果的にはお金によって支配される。虚構に支配されて私たちが生きる。ところが、その虚構がいま維持できるかどうか怪しくなってきた、というのがいまですから、やはりもう一度ちゃんとした実体に戻ることが必要でしょう。そうするとやはり、「相互性をもっていろんな要素が展開していたあのかたちを現代的に再構築することは不可能なのだろうか」という問いが必要になるという気がします。また、そういうことがあるから、いままた共同体的なものに関心をもつ人たちがふえてきたという気がする。

共同体的生き方を選ぶ人たち

ちょっと前、鹿児島県の南大隅町というところへ講演を頼まれて行ってきました。大隅半島の先のほうで、鹿児島空港から3時間くらいかかる過疎進行地域です。気候的には温暖でとてもいいのですけれど。そんな場所ですけども、感心したのは移住者がいっぱいいて——といってもその集まりに来ていたのは10組ぐらいですけど——、こんなにいるのかと思った。そのなかに新潟出身の人がいて、まだ30代半ばぐらいかな、塩づくりの職人になろうとして、「新潟の海ではいい塩がつくれない」とか言って、それで日本中いい塩がつくれる所を探して歩いて

（＊10）「人間の存在すべてが、本来、一個の労働過程であった」❶『**労働過程論ノート**』（254頁）「森林と山が木材をとおして貨幣価値を生みだす場所に……、河川が……水の供給地に……。自然と人間の関係は、単一の目的によって物質的に制度化されてしまっている」「広義の労働の世界は、いまではバラバラに分解され、ひとつひとつに社会的意味が与えられていく。……「趣味」……「ボランティア」……「家族サービス」「遊び」「奉仕」……」❻『**自然と人間の哲学**』（176、191頁）

南大隅町に住みついた。昔の製塩法で、確かにすごくいい塩をつくっている。考え方もすごくしっかりしているし理論家でもある。塩もインターネットとかいろいろな販売方法で売っている。それほど儲けられるはずはないけれど、しっかり暮らしている。そういう人たちがいま、どこに行ってもいるという感じです。

しかも、農村に来たからといって農業希望というわけでもない人もけっこうたくさんいて、農的生活というか、自分の食べる分ぐらいできたらつくりたい、生活のほうは違うことで収入を得よう、そんな感じの人がふえてきています。チョコレートをつくったり、そっちのほうで収入を得ながら農的生活をしている。そうなると、農業の仕方もものすごく自由度が増す。つまり簡単に言ってしまうと、収入にならなくてもいい。だから完全自然農法をやる人もいる。そんなふうにいろんな工夫をして生きています。

そういう人たちのめざしているものは、やはり共同体のある生活、それから農のある生活でもあるし、そういうことを通しながら、いろんな要素が一体的に実現できる、そういう本当の実体をつくりたいということです。実体のある世界のなかで生きたい。そういう人たちからみると、いまのお金の支配する世界とか企業が支配する世界とかは、すべて虚構の世界にみえてくる。そういう時代にいま転換してきているんだなと、ついこの間も確認したという感じです。

第2講

関係と実体

ヨーロッパの思想と日本の思想は、根本的には何が違っているのでしょうか。

本質は関係にある

「最小実体」を探っていくと……

ヨーロッパの発想には、「最小の実体が組み合わさってより大きな実体をつくる」という考え方があった。これにしたがって科学も成立した。原子があり、原子が結び合って分子をつくり、さらにそれが結び合っていろんな物質をつくっていくというように。

ところが、原子が最小の単位ではないということがわかってきて、それを調べていくと、なかに原子核があったりいろんな素粒子が回っていたりする。さらにその素粒子とか原子核とかをもっと細かく調べていくと、もっと細かい最小実体がでてきて、それをいま、クオークと呼んでいるのだけど、最小の実体はすべて同じであるということがわかってきました。だから細かく分解していけばいくほど均一のものになる。それが結び合っていくことによっていろんなものができてくるということです。

いまの世界には化学物質が、石油由来のものだけで3000万種類ぐらいあると言われています。それは石油製品、薬、農薬と、ありとあらゆるものに化学物質が入っているから、開発されたけれど使われていないものもふくめると膨大な数になるのです。ところがそれを分解していけば、石油というのは基本的に炭素と酸素と水素の化合物ですし、そこにいくつかの物質を入れるといっても、たとえば硫黄分が添加されるとか、要するにたいした種類じゃない。その炭素とか酸素とか水素とか硫黄とかをもっと細かく分解していくと、最後はクオークという均一の物質になる。

さらに、たぶんこれから、クオークが本当に最小物質かどうかという研究がすすむでしょう。もっとなかを調べる方法がでてくるとおそらくそれがわかってきて、なかにまだ最小物質があるみたいな話がおそらくでてくる。ところがそこらへんまでいってしまうと、物質なのかエネルギーなのかわからないという問題がたぶんでてくるという気がするのです。

じつは物質は、どんどん調べていくと、最後は物質なのかエネルギーなのかわからないものになっていく。私たちが日常に使っているものでもそういうものはたくさんあって、たとえば光もそうです。「光とは何か」と考える前から使っていたわけで、電気がある前だったら松明《たいまつ》を灯すとか、行燈《あんどん》とか、そんなものをみんな経験的に使ってきたわけです。だけど改めて「では光とは何ですか」と言うと、よくわからないのです。

理論としては昔からふたつあって、ひとつは光粒子理論というのがあります。つまり光という粒子が鉄砲玉のように飛んでくる、そのことによって明るくなる。それともうひとつ、波動説という、光もひとつの電波みたいなもので、それが流れてくることで明るくなるという説がある。

でも、だんだんと、どうもこのふたつは分ける必要がないらしいということがわかってきました。つまり、「ある種の関係のなかでは粒子だし、ある種の関係のなかでは波動である」というふうにとらえたほうがいいようだ、というのがだんだんわかってきた。

つまり、物質というものはある種の関係のなかでは物質をつくっているけれども、ある種の関係のなかではエネルギー体になってしまうということです。たとえば炭素などでもそうで、ある種の関係のなかでは、炭素って比較的安定している物質ですから、炭にすぎない。ところがそれに火をつけてしまえば、つまり酸素と化合させていくという関係をつくり、しかもある程度熱を上げていけば、エネルギー体に変容してしまうわけで、物質ではなくなっていく。それをまたもう一度冷ましていけば、全部が燃え尽きてしまったら別ですけれど、残っていればまた炭のような物質になっていく。だからある種の関係のなかではエネルギーだし、ある種の関係のなかでは物質。つまり物質という固定化されたものはない。

そういうようなことがだんだん科学の世界でも言われるようになってきました。そうすると、最小の物質という考え方が成り立つのか。ある関係のなかで物質体をつくっているだけではないのか。つまり、ある関係のなかでは分子という物質をつくっていたり、ある関係のなかでみていくと原子というものをつくっていたり、さらにはある関係のなかではそれらが化合した物質というものをつくっていると。でもそれをまたある関係のなかでみていくと、物質ではない単なるエネルギー体としてみえてくる。そういうふうにみたほうがいいのではないかと、最近、物理学的世界では言われるようになってきました。

ヨーロッパの発想、つまり大もとに何か実体があって、それが結び合って次の実体をつくっていくという、その考え方がもしかすると成り立たないかもしれない。科学は「物質の奥には何があるか」というのをみようとして、それで分子の発見とか原子の発見とか、次には原子核の発見とか進んできたのだけれど、どうもこれをくり返していくと最後は物質と言えるかどうかわからなくなってくる。だからむしろ「どういう関係が何をつくるのか」という、そっちのほうからみたほうがいいのかもしれないというのが、だんだん物理学的世界でも言われるようになってきました。

日本の考え方――関係が実体をつくる

そういう話がでてくると、日本では昔からそう思っていたんですよ、ということになるのです。日本の場合には、むしろ「関係が私たちのみている世界をつくっている」というふうにとらえてきた。

たとえばわかりやすく言うと、夫とか妻が発生するためには夫婦という関係が必要だということです。夫婦という関係が発生してくることによって、それまでは赤の他人だった人が、片方は妻になるし、片方は夫になる。一般的な意味で大人と子どもは世のなかにいっぱいいるわけですけれども、親と子というものが発生するためには親子の関係が必要なわけで、親子の関係が発生すれば親も生まれるし子も生まれる。それがなければ、赤の他人の子どもと大人はたくさんいるけれど、べつに親も発生しないし子どもも発生しない。逆にいえば、親子の関係がうまくつくられなければ、自分たちの産んだ子どもがいたとしても親子ではないと言って構わないし、よその子どもをもらってきた場合でも、親子の関係ができているんだったらば、やっぱり親だし子だよね、という言い方ができる。だから関係が実体をつくっているのであって、あらかじめ妻がいたり夫がいたり、親がいたり子がいたりということは成立しない。

日本の場合は昔からそういう考え方を重視してきました。すべての根本は関係のほうにあって、関係が実体をつくっている。

「自然」も関係によってさまざま

自然も、共通する自然があるわけではないと考えてきた。農民の世界からみえる自然、農民たちの関係からとらえたときの自然もあれば、都市の人間たちがその関係からとらえていく自然もあるわけで、このふたつの自然は同じ自然ではない。ヨーロッパ系の発想だと、自然を客観的なものとしてとらえるから、同じ自然になってしまうのですが。ところが日本の発想では、関係のとり方がいっぱいあるのだから、自然は千差万別でいろんな自然が存在するということです。

僕の上野村でも、観光に来る人たちがみている上野村の自然と、村に住んでいる人がみている上野村の自然とは、山のかたちとかは一緒ですけど、自然というみているものが違ってみえている。さらに言えば、上野村の人のなかでも、林業をやっている人たちからみえている自然と、林業などやらない人たちの自然は同じではない。農業をやっている人とやっていない人の自然も違うし、僕は魚釣りをするから、魚釣りをする人たちがみている自然というのもまたあって、それは魚釣りをしない上野村の人たちがみている自然とも微妙に違うし、こんなふうに同じ村のなかにもじつはいろんな自然が存在している（＊11）。

（＊11）「人間の主体とのかかわりのなかでみえてくる自然……自然とかかわる人間の精神的力能がいかなるものかによって、それは、みえも隠れもする」❻**『自然と人間の哲学』**（30頁）
「漠然とした価値として森をみている者と、腕をとおして具体的に森の価値をみている者との違い」❿**『森にかよう道』**（194頁）

明治の頃、土佐藩の人で東京へ出てきてブルジョワジーになった人で、竹内綱《つな》という人がいました。いろいろな大きな会社をつくったのですけれど、金融機関をもつことを嫌がって財閥はつくらなかった。「金融は邪道だ」と、生産企業ばかりつくったのです。それと、儲けた金を自由民権運動につぎ込み、一時期自分も捕まっちゃって東京から追い払われるとか、いろいろしている人です。岐阜で板垣退助が演説中に暴漢に刺されるという事件があって、そのとき板垣退助が「板垣死すとも自由は死せず」と言ったと、そういう有名な言葉があるんですが、それは竹内綱のでっち上げだったようです。板垣は「イテッ」とか言っただけだったようなのですけど（笑）、側にいた竹内が希代のでっち上げをやった。そういう人でもあります。第1回の民選議員選挙で当選して国会議員になるんですが、多数派工作をするためにいまで言う議員買収をやって最初に辞職をすることになった議員でもある。なかなかおもしろい人です。その人の自叙伝を読んでいて感心したのは、この人は鉱山開発と工業生産が好きだった。いろいろなところに出かけて、朝鮮半島にまでも行ったりしているけれど、「山がきれい」とか「いい滝があった」とかは何も書いていないのです。ただひたすら「あそこは石灰が出そうだ」とかその話ばかり。だからこの人からみえている自然には、鉱物資源しかみえていないという感じです。

自然には、いろんな自然が存在する。どの自然が真実というわけでもない。むしろ自然は多様だということなのです。それも関係が実体をつくるのですから、自然とどういう関係を結んでいるかによって自然という実体も変わってくるということです。本質は関係のほうにあって実体はそこからでてきた現象にすぎない、それが日本の発想なのです。

たとえば農業的に言えば、農民たちの作物との関係とか自然との関係とかそういうものがあって、その関係が作物という現象をつくってくる。もちろんその現象というのは実体をつくるから大事なのだけれど、実体が何かを生んでいるわけではなくて、まさに農民的関係が実体をつくりだしていると、日本ではそういうとらえ方をしてきたのです。

死者と関係を結ぶから、死者はいる

さきほど、日本の社会は自然と生者と死者の社会だと言いましたけど、その論法が近代的に成立するとすれば、死者とは死んだ後も魂があって、どこかそのへんにいる、だからその人たちの意見もちゃんと入れましょうね、ということになる。もし西洋でそういうことを言うと、「死者の魂はあります」という話から出発する。それが天国に行っているか地獄に行っているか、そのへんにいるかはともかくとして、死者は死んでも魂があるのだから、その魂をどうするのか、という話になっていく。

ところが日本の場合は、「死者と関係を結んで生きているから、死者はいる」という発想です。死者と関係を結ばない人たちがいれば、その人にとっては死者はいないということです。はじめから死者の魂なる実体が先にあるわけではないのです。多くの人たちは少なくとも自分に近い人が亡くなったりすると、その人との関係を断ち切ろうとはしない。だからその人たちにとっては死者の魂はあるということで、誰にとっても死者の魂があるということとは違う。むしろ、死者との関係があるから、その関係の相手である死者がちゃんと存在するという発想なのです。

神や仏も同じで、「神様って本当にいるんですか」とか「仏さんって本当にいるんですか」と言われると、これはむしろ西洋的発想になってしまう。そうではなくて、神様と関係を結びながら生きている人たちにとっては神様はいる、となる。仏と関係を結びながら生きている人たちにとっては仏様はいる。そういうことなのです。

日本的な発想で言えば、キリスト教の神様でも、「キリスト教の神様と関係を結びながら生きている人たちにとってはそういう神様はいるでしょう。私はキリスト教の神様とは関係を結んでいないから、私にとってはその神様はいないのです」という、ただそれだけの話なのです。ところが西洋の発想になると「キリストの神様はいません」などと言ってしまうと、熱心なクリスチャンの方などがいると、それは我々が無知蒙昧だからとなって、「真実に目覚めなさい」という話になってしまうのです。それは日本では余計なお世話になる。関係を結んでいる人にはいるし、関係を結んでいない人にはいない、ただそれだけのはずなのに、となる。関係こそが実体をつくっていくという、この発想が日本の発想です。死者もそうだし、神様もそうだし。我々の世界に現われているものはすべて現象にすぎなくて、その現象をつくっている関係こそが本質であるという、そういうものごとのとらえ方が根底にある。

正しい関係とは何か、「道」の追求

そういう発想をもっている人たちは、「正しい関係は何か」を一生懸命探そうとしました。たとえば農民であれば、正しい自然との関係とか、正しい作物との関係とか、それをみつけだそうという努力をした。もしそれをみつけだせれば、日本一の農民になっていくことができる。職人さんでも、正しい素材との向き合い方とか、そういうことを発見しようとした。それができれば結果として良い作品がつくれると考えた。だからよい作品が先にあるわけじゃなくて、正しい関係が先にある。それさえできれば結果としてよい作品はついてくるという、そういうとらえ方です。

正しい関係重視だから、いろんなものに「道」というものができるようになりました。剣でもそうだけれど、剣はもともとは人をいかに効率よく殺すかというだけの手段で、それでよかった。ところが江戸時代に入って、人殺しの道具として剣を使わないような時代になってしまった。そうすると「正しい剣との向き合い方」とか、つまり剣との正しい関係のつくり方、そっちのほうが重視されてきて、そうすると「剣の道」になってくる。柔道とか空手道とかみんなそうなのですけれど、もともとは相手を早く倒せばいいだけの話だった。それが殺し合いの道具、倒す道具として使われなくなってくると、すべて「道」が付いてくる。ただお茶を飲んでいればよかったのが茶道になってくるのと同じようなもので、みんな「〇〇道」になってくる。それもまた、「それへの正しい関係とは何か」の追求がおこなわれてきたからです（＊12）。

関係本質論と仏教

バラモン教改革運動として仏教は生まれた

4年ぐらい前、立教大学を辞めたときに、うちのゼミの学生さんたちが「なにか集まる場所をつくってくれ」と言うので、「寺子屋」をはじめました。だいたい月に一度くらいやっているのですが、それが本当に寺子屋なのは、場所がお寺だからです。僕のところのゼミにいた学生さんに真言宗のお坊さんがいて、葛飾区にあるお寺なんだけれど、そのお寺を使って月に一度くらい何かやろうかという、本当に寺子屋になってしまったということです。前半には参加者が自分の問題意識でいま課題にしていることを報告し、後半に僕のほうで1時間ぐらい話をするというかたちになっているのですけど、「せっかくお寺でやっているのだから仏教の話をしましょう」と4年間仏教の話ばかりやっていたら、最近はかなり仏教に詳しくなってしまいました。

仏教は勉強していくとけっこうおもしろい。なぜかというと、仏教ってくり返された仏教運動だと考えたほうがいいからです。お釈迦さんの仏教が紀元前４００年ぐらいにできてくるのですけれど、お釈迦さんの教えってなんだったのかがよくわからない。こういう言い方をすると仏教の人たちからは批判されますけど、当時インドにバラモンの教えが広がっていて、それに対する批判的な勢力としてジャイナ教があった。バラモン教、ジャイナ教的な基盤からでてきた一種の宗教改革運動、そんな感じででてきたのが仏教です。だから極楽浄土観とか輪廻転生観とかそういうのは全部バラモンの教え、ジャイナ教から受け継いでいる。ただ、バラモンの教えだとカースト制になってくるので生まれたときの身分というのがはっきりしてしまうわ

（＊12）自分の技術との闘争としての釣りについて――❷『**山里の釣りから**』（99頁前後）
「かつての人々は自分の技を深め、高めることに熱心だったが、それもまた日本的な個の形成のかたちだった」⓯『**共同体の基礎理論**』（75頁）

けで、「聖職者の身分に生まれ変わったときに修行をして頑張れば悟りの世界に行くことができる」みたいな感じだったのですけれど、仏教は階級制を否定しました。誰でも悟りの世界に行けると。その改革をやったのはむしろジャイナ教なのですね。ジャイナ教がカースト制を廃止して誰でも悟りを開いて解脱できるという方向性をつくった。ただ、ジャイナ教は「そのためにはさんざ苦行をしなければいけない」という教えだったのですけど、釈迦は「苦行からは悟りは生まれない」という立場をとって、むしろ瞑想を重視するというやり方に変えた。

バラモンの教えからジャイナ教へ、ジャイナ教から仏教へ、というひとつの宗教改革運動があったのだと考えたほうがむしろよくて、生まれ変わりの思想はバラモンから受け継いでいるという感じなのです。

大乗仏教の成立

ところがその後、仏教のなかでもいろんな仏教改革運動が起きてくる。そこで最終的には輪廻転生、生まれ変わりという考え方自体が否定されていったのだと思います。ただ、大乗仏教でもチベット仏教は生まれ変わりますけど。仏教というのは、行った土地で独自の進化を遂げるという性格があるので、行った先々で仏教運動を起こすという感じです。そうやって展開していくので、どれが本物の仏教かはじつにわかりにくい。全部本物だという言い方もできるし。いま、南アジアからチベット、日本あたりまで広がっている仏教をみていくと、すごく内容が違う、ということだけは言えるのだけれども、どれが正しいと言われても困る。日本では、日本の風土に合った仏教に、日本独自の進化を遂げていったと考えていいでしょう。

日本に入ってきた仏教は何かというと、大乗仏教が入ってきた。大乗仏教は紀元０年前後からインドで発生しはじめるのですが、これも大乗仏教運動としてできてきました。それまでの仏教は、カースト制は否定したけれど、悟りを開くためには出家をしてお坊さんにならなければいけなかった。お坊さんになることは女性にも、誰にでも開かれているのだけれど、とにかく出家して寺に行って、そこで修行をする。それをしないと悟りは開けない、という立場をとっていました。それに対して大乗仏教は、在家仏教運動——仏教には帰依しているけれども寺には入っていない、普通の生活をしている人たちの仏教運動——としてできて、普通の人間のままで悟りが開けるという立場をとったのです。

徹底した在家主義

「般若経」以降いろいろな大乗仏教経典ができますけど、たとえば「維摩経《ゆいまぎょう》」というお経があります。聖徳太子が書いたといわれる本に「三経義疏《さんぎょうぎしょ》」がありますが、「三つのお経の注釈書」という意味なのですけれども、その三つのお経が「維摩経」「勝鬘経《しょうまんぎょう》」「法華経」です。維摩経もかなり古くから日本に入ってきて重視されたお経です。

維摩経がどんなお経かというと、維摩居士《ゆいまこじ》という立派な人がいて――居士というのは、いまは戒名で「○○居士」というのがありますけれど、本来は「立派な人」という意味です――、在家の人であった。その維摩さんが病気になった。だいぶ容態が悪いらしいという噂を釈迦が聞いて、弟子たちに「ちょっと維摩さんのところに見舞いに行ってくれ」と言うと、弟子たちは「私は行きたくない。どうもあの人は苦手です、昔こっぴどくやられたことがあって」と言う。「何があったんだ」と聞くと、「じつは森のなかで瞑想をしていたら維摩さんが通りかかって、『またそんな偽物の修行をして、そんなもの修行か』と言われた」。そのときに維摩さんが言うには、「自分だけ娑婆《しゃば》を離れて森のなかに入って瞑想し修行したような気持ちになっているだろうけど、そんなところに本当の修行はない。娑婆の人間の苦しみのなかに身を置いてこそ本当の修行なのだ」というようなことを言われて、返す言葉もなかった。「それ以降、私、苦手なんです、あの人」と。それで「じゃ、しょうがないな」と次に舎利子《しゃりし》に「お前、行ってこい」と言うと、「私もやられました」と、そんな話になっていって、最後に普賢《ふげん》が「しょうがない、私、行ってきます」と言って、それなら我々も行こうと、ゾロゾロと何百人かで見舞いに行くことになった。そうしたら維摩さんが何もない部屋で、ベッドだけがあって、寝ていた。これには意味があって、「この世はじつは空《くう》である。空の世界に私たちはいる」ということを表わしているのです。

そこでまたいろいろな議論がはじまるのですけれど、維摩さんけっこう元気で、議論していくと全員が維摩さんに負けていく。最後に、「不二《ふに》の法門」と言われている、「ふたつのことがふたつではなくひとつのことであるとは、どういう意味なのか」という議論になって、皆がいろいろな答えを言う。最後に、維摩さんの意見も教えてもらおうと「維摩さん教えてくださ い」と言うと、そのとき維摩さんは一言も言わず黙っている。その姿をみて、見舞いに行った何百人かはまた敗北したことに気がついた。つまり、「真実は語ることができない」ということなのです。

在家の人間に、出家した人間たちがことごとく敗北していくという構造になっていて、在家優位を明確にしているお経です。

勝鬘経になると、勝鬘夫人という王様の奥さんなのですけど、やはり在家で深く仏教に帰依しているという女性がいて、その人がいろんな真実を語るのです。そこに釈迦が行って、釈迦はひたすら「おっしゃる通りです」とうなずいているだけ。そういうお経なのでなかなかおもしろい。

つまり、こういうのができてくるというのは、在家こそが真実を知っているという、つまり娑婆で苦悩している人間こそが真実を知っているのであって、自分だけ聖地のようなところに行って勝手に悟りを開こうとするのは仏教の本質とは違うという、そういう運動が起きたということです。

この大乗仏教が一番根付いたのが日本だと言ってもいい。日本ではまさに在家だらけの仏教をつくった。残念ながらインドでは仏教そのものが一度滅んじゃうし、中国でも大乗仏教なのに結局お寺の仏教になってしまって在家者が軸にならない。日本の場合は在家者が軸になってくるから、教義としての仏教の追求がないといいますか、自分たちの暮らしそのものが仏教となっている。つまりいろんな日常の習慣のなかに仏教が入り、考え方にもどこかに仏教が入っている。毎日経典を読んで勉強しているような雰囲気とは全然違う仏教が展開した。でも、在家仏教ならそっちのほうが正常な姿なのです。なかには一生懸命勉強する人がいてもいいのですけど、それを強要したら在家の仏教にはならなくて、研究者の仏教になってしまうということです。だから僕には日本の仏教は大乗仏教を一番よくこなしたと考えてもいいのだろうという気がします。

なぜ大乗仏教が日本に根付いたのか

この日本に入ってきた大乗仏教の軸にあったものが、関係本質論だったのです。つまり関係こそが真理であるという、そういう立場です。そこで日本がもとからもっていたような「関係こそが真理である」という考え方と、大乗仏教の考え方とが上手に一致した。だから比較的短期間に、あっと言う間に大乗仏教が日本に、しかも民衆世界に入ったのだと僕は思っています（＊13）。

つまり、私たちがみている現象にはすべて実体がないというのが仏教の立場なのです。自分という実体もない。大乗仏教はその後もいろいろな改革運動があるのですけれども、そういうことを経て最終的にどういう視点に立つかというと、「なぜ自分に実体がないのか。それは自分の本質というのは関係でしかないからだ。自分というものがあらかじめあるわけではなくて、自分というのは自分がもっている関係の総和だ」という視点をもった。自分は家族のなかでの関係をもちろんもっているし、職業があれば職業上の関係、農民としての関係とかそういうものをもっているし、地域社会での関係があったり、ときにはこのセミナーのような集まりでの関係があったり、それ以外に友人どうしの関係があったりとか、いろんな関係を一人の人間はもっている。その関係を足したもの、総和こそがその人の本質をつくっていて、その結果現われてくるものが現象としての自分。だから現象のほうに本質はなくて、むしろ関係のほう

（＊13）「日本における仏教思想［は］、自然と村人の営みとによって生まれた共時的な時間世界と結びついていた」❾『**時間についての十二章**』（53頁）

に本質がある。

関係のほうに本質があるといっても、関係は関係なわけで、実体そのものではないから、関係は実体的にとらえることができない、その意味で空《くう》であるというのが仏教のとらえ方です。私たちからみえている世界、これも関係がつくった世界にすぎない。関係こそが本質だからこの世界もまたすべて空ということになって、「我も空ならば世界も空」という、こういう立場を仏教はとっていきます。

自己も空、真理もまた空

ここまでは、その前の上座部系仏教でも同じです。でも上座部系仏教は、仏の世界の真理は「ある」という立場をとっています。これに対して大乗仏教側は、「法空」という立場をとる。つまり真理もまた空である、空だからとらえることができない、語ることもできないという立場を。

「法」というのは仏教上の真理です。ですから「我空《がくう》、法空《ほうくう》」という言い方があるのですけれど、「我も空ならば、真理も空」ということです。つまり、我々が語るべき真理など存在しない。だから維摩さんは最後に核心的な質問を受けても何も答えない。それは語ることができないということなのです（＊14）。

ただ、「語ることができない」と開き直られてしまうと、我々にはさっぱりわからないわけで、だからときには、「本来は語ることができないのだけれど、できるだけ近いことをしゃべってみましょう」というお経もできてきた。それの代表例が法華経です。法華経は、釈迦がこの世界から姿を消すとき、死んだということではなくて、法華経によれば「自分がいつまでもいると、みんな自分を頼ってしまっていかん。だから自分はこの世界から一度姿を消すことにする。ただ、姿を消す前にできるだけ皆に正しいことを教えておくから」と、可能な限り釈迦がしゃべる、そういう構成をとっているのが法華経です。

真理は語ることができない

いろいろなものを読んでみて、最近一番気に入っているのは華厳《けごん》経です。これはすごくおも

（＊14）「全体の自然は物体と空虚とである〔ギリシャの哲学者エピクロスの言葉〕……自然は時間を超越した偉大さをもっているからである」「どんなことに対しても、人は「わかった」と思ってはいけないのである」❺**『自然と労働』**（70、267頁）「経験的な知性……の限界を人々は知っていた」❻**『自然と人間の哲学』**（79頁）「東洋では本質的なものはつねに混沌とした世界のなかに秘められていると考えてきた」❽**『戦後思想の旅から』**（175頁）

しろいです。日本では東大寺が華厳宗といまは名乗っています。もともと東大寺は宗派ができる前のお寺なので、ただの「仏教のお寺」でいいのですけれど、だんだんそういうところも○○宗と名乗るようになったのです。なんで東大寺は華厳宗なのかというと、華厳経の本尊とされているのは盧舎那仏《るしゃなぶつ》という仏です。毘盧遮那仏《びるしゃなぶつ》という場合もあるんですけれど、東大寺の大仏さんがその盧舎那仏なので、その関係があるから華厳宗ということなんでしょう。

華厳経というお経は盧舎那仏の教えを伝えている。ところが盧舎那仏は真理を知っている仏でもあるけれど、真理が盧舎那仏でもあるのです。宇宙の真理すべてが盧舎那仏というかたちになっている。だから盧舎那仏が修行をして真理を知ったのか、真理が盧舎那仏をつくったのか、そのへんは不明瞭で、どっちかというと後者のようです。つまり真理が盧舎那仏になった。だから華厳経では盧舎那仏に教えを乞うかたちになっているのだけれど、最初から最後まで盧舎那仏は何も言いません。なぜなら、真理は語れないからです。だから、東大寺の大仏をみにいったときに大仏に何か頼んでも絶対に意味がないですから（笑）。あれは宇宙の真理を現わしているだけなので、お願いしたって何もかなえてくれません。それどころか、何か教えてくださいというのも無理なんです。あれをみて「ああ、これが真理か」とわかる人以外は意味がない。

真理が盧舎那仏にあるとしたら、では釈迦は何かというと、釈迦は盧舎那仏の真理をはっきり自覚した人ということなのです。だから釈迦は真理を知っているけれど、その真理は釈迦が発見したものではなくて、盧舎那仏の真理に気がついたと、そういうことになっている。

盧舎那仏の横にいつも釈迦がいるんです、華厳経では。それで、何か聞いても盧舎那仏は黙って座っているだけで、釈迦は横にいるので代わって何かしてあげようとするのだけれど、釈迦も真理を知っているからやはり語ることができなくて、何か質問すると後ろから光を出したり、眉毛から七色の光を出して宇宙を照らすとか、なんかパチンコ屋みたいなんですけど（笑）、ときどきバーンと光を出してピカッピカッとやる。それをみて、「はい、わかってください」と、ただそれだけで、釈迦も何も語りません。それで、普賢とか文殊菩薩とかそういう人たちが大活躍するお経ですけれど、いろんな○○菩薩とか○○天とかが出てきて、一生懸命説明しようとしたり、言われてどこかに話を聞きにいったり、そういうことをくり返していく。そのいろんな人たちが語っていることが、全部本当の真理ではなくて、真理の一歩手前の、それを方便というわけですね、「無理して言えばこうなります」というものです。その方便はまあまあ真理なのですけど、だけど本当の真理は関係しかないから空、つまり何も語れないということになっていく。だから、真理を語っているというよりも、むしろ「真理は語れない」ということを語っている感じですけど、釈迦になったらそれさえ語れなくて、光を出すだけです。

最後のほうで、真理を知っている人がいるからと、いろんな人に話を聞きに行くという話になっています。いろんな人のところに行くんですけど、「このことは私はわかるのだけれど、ここから先はまだわからない。そこから先を知りたいのだったらあの人が知っているから」と言われて、また旅をしていく。おもしろいなと思うのは、話を聞きに行っている先に多くの女性がいる。あと童女というのもひとりいて、13歳の女の子です。で、最後の人が「ここまでは私はわかるのだけれど、これ以上のことが知りたいのだったら、盧舎那仏のところへ行ってくれ」と、そういう話になって終わるという経典です（＊15）。

1本の稲穂に全宇宙の体系がある

この華厳経の教えでたぶん一番重要なのは、「一即一切《いちそくいっさい》」という考え方。ひとつのなかにすべてがあるということです。宇宙の全真理が、ホコリくらいの世界のなかにすべてある。だから一とすべては同じだということなのです。

これはいまの僕らにはわかりにくいのだけれど、かつての日本の人たちにはわかりやすかった。なぜかというと、自然とともに生きている人からすると、自然の全体系が、場合によったら1本の稲のなかにあるとか、そういうのはわかりやすかった。いま、都会で暮らしていると、それはわかりにくいことになってしまいますけど。それはそうで、自然の全体系があってこそ1匹の虫もいるわけで、だから1匹の虫をみつめていればそこには全宇宙があるということになるわけです。特に農業をしていると、さっきも言ったようにひとつの稲穂のなかに全宇宙があるという式の発想にもなってきますので、だから昔の人にはわかりやすかった。小さな世界のなかに全宇宙の体系がある、だからすべてに真理がある、ということでもあるわけです。

では、なんでひとつの小さな世界に真理があるのかというと、結局、すべてが関係で結び合っているからということなのです。つまり自然というのは全部関係でできあがっている。それは手もとのところでは、たとえば虫が草を食べているとか、そういう関係ですけれど、その草が成立するためにはその地域の自然の関係があって、それをもっと広げていけば隣の自然との関係もあるし、最後は全地球的関係になっていって、全地球的関係のなかで雨が降ったり風が吹いたりしながら、それがひとつの森をつくり、そこに1本の木をつくり、1本の草をつくり、それを食べる虫をつくるというわけです。

だから、よくみていけば、すべてはいろんな関係によって結ばれている。人間もまた自分という単体があると考えるのが間違いであって、自分もまたあらゆるものと、わからないだけで

（＊15）維摩経、華厳経について詳しくは、**『内山節と読む　世界と日本の古典50冊』**（374、381頁）

関係を結んでいる。だから奥のほうでは僕と他の人はつながっている。それどころか全然見も知らないような人たちや生き物、石ころともつながっていて、最後は宇宙の果てまでつながっている。そういう関係的世界こそがこの宇宙だ。その関係的世界のなかのひとつのホコリのようなもののなかに全宇宙の真理が隠されている。宇宙の全体系は小さなもののなかにあるという、徹底した関係論の立場をとっていきます。盧舎那仏は宇宙的関係が姿を現わしたというとらえ方をしていて、真理だから何も語ることはできないということになっていきます。

利他に徹してこそ自分も悟れる

もうひとつ、そういうなかで華厳経が重視するのは「利他《りた》」ということです。すべての修行は利他行でなければいけない、つまり自分のための修行なんかしたらダメだということです。華厳経ははっきりと、「すべての生類」という言い方を絶えずしていて、つまり人間だけの、人間が悟りを開くということを華厳経はめざさない。つまりすべての生き物が悟りを開く、それを我々はめざしていると。すべての生き物が悟りを開いて解脱して成仏したら、最後に自分も悟りを開くのだと。それまでは、自分はこの世界に留まるという、そのことを基本にした修行ということなのです。だから徹底した利他行。ただしすべての生き物が悟りを開くことと、自分が悟りを開くことは、関係によって結ばれている以上同時に達成されるわけで、じつは同じだということなのです（＊16）。

個人単体主義になってしまうと、「皆が悟りを開いたら、最後に私も駆けつけます」みたいな話に聞こえてしまうのだけれど、関係によって結ばれている世界がこの世界だから、すべての生き物が悟りを開くことと、自分が悟りを開くことは、じつは同時実現なのです。それで、上座部系の仏教のように、自分の悟りにこだわった仏教は間違いだという立場をとった。修行をするときの立場としては、すべての生類に対する利他のための修行ということであって、これの反対語が「自利《じり》」なのですけれど、自利を激しく否定した。自分のための修行なんかやってしまうと、結局自分の悟りも開けない。結ばれている世界のなかでの解放なのだから、「自分だけなんとか悟りを開いちゃおう」なんて考えたって、そんなものは開けないのだと、むしろ利他行に徹してこそ自分の悟りも開けていくという立場です。

あらゆる概念の否定へ

もうひとつ、華厳経が徹底的に批判したのは、差別ということです。「あらゆる差別はいか

（＊16）「自分を解放することと他人を解放すること、そのために社会を変革すること、この三つは同じことでなければならないと思う」❹『**哲学の冒険**』（60頁）

ん」という立場です。差別の根本原因は何かというと、「概念をつくったこと」だというのが華厳経の立場。概念をつくってしまったために、表面的には差別でなくてもじつは奥のほうに差別がある。

たとえば「男性」「女性」という概念をつくった。その結果として女性差別が起きる。かなりまじめな人だと「女性を差別してはいかん」という気持ちをもっているけれど、「女性を差別してはいかん」と思っていること自体が女性差別を成立させている。「男性」「女性」という概念がなくなってしまえば差別のしようがない。それはさっき言った生類も同じことであって、「動物」と「人間」という概念をつくってしまうから、「動物を大事にしよう」とか言ったって、じつは動物を差別している。表面的には差別していないかもしれませんけれど、差別の精神をもって差別を抑えているということになって、これではダメだということです。

だから概念をもたなければよいと言うんです。そうすると最後は、「仏」と「我々」というのも概念なのでそれも必要ではないということになる。この世のなかからあらゆる概念を消す、そういう生き方をすればあらゆる差別がなくなっていくということで、差別否定が概念否定になっていくというのが華厳経の立場なのです。だから最後は仏にこだわる必要もないし、輪廻転生も否定してしまいます。なぜかというと、「人間は生まれ変わる」というとらえ方自体が概念である、と。

輪廻転生の考え方というのは、自分が生きたときの生き方が「因」（原因）をつくって、あるいは「縁」（因は主な原因、縁は因を補完する原因）をつくって、結果として次のときに別のものに生まれ変わる。「因果」というかたちで、「因があって果が出てくる」というとらえ方をする。それで何度でも生まれ変わるというのが輪廻転生という考え方です。

だけど、「因」というのも概念、「果」も概念。それにとらわれてしまえば、永遠に因果の世界から抜け出せない。そうすると永遠の輪廻転生みたいになりかねない。本当は、因もなければ果もない。そんな概念は存在しない。実際には因だと思っていたものが果になっていたり、果だと思っていたものが因になっていたりして、因果という概念自体が成立しえないんだと。仏教によくある因果説とか縁とかいう考え方自体に否定的なんです。

概念なく永遠の円のなかを我々は生きているという。こうして、つまり入口もなければ出口もない、むしろ円環の思想みたいなものを打ち出してくることになりました。このへんのとらえ方もけっこうおもしろいのです。

現象の奥の結び合う世界に帰る

そういうものとして華厳経はあるのだけれど、現在の日本ではあまり重視されない。中国でも重視されているわけでもないし、教典の現代語訳もほとんどないのです。1冊だけ『口語全

訳　華厳経』（国書刊行会刊）というのがあるんですけれど、4万円もします。ですからいかに売れないかということです。『現代意訳　華厳経』（書肆心水刊）というのもあって、大正時代にできたものの新装版ですけれど、これはかなりよくできていまして、これも8000円ぐらいしますけどたいへんおもしろい。内容的には、その後にできてくる大日経とか金剛頂経という密教経典の内容も華厳経には入っている感じなので、密教のお経だと呼んでも構わない。ただ密教経典にはないような内容も入ってきますので、こっちのほうがおもしろいです。

仏教には昔から「仏性《ぶっしょう》」という考え方があります。大乗仏教といえば、すべての人が悟りを開いて釈迦みたいになっていくことができるという立場をとるわけですけれど、なんでそんなことが可能なのというと、人間は奥のほうに仏性という、仏になるタネみたいなのをもっていて、それを開花させればみんな仏になれる、釈迦みたいになれるという、そういう考え方がある。この仏性はその後、「如来蔵《にょらいぞう》」という言い方もされるようになる。これも如来になるための素、如来のタネみたいなものです。それを人間たちはもっている。そういう考え方が「如来蔵思想」というかたちで仏教世界のなかで広がっていきます。「仏性」と言おうが「如来蔵」と言おうが、ひとりずつの人間のなかにタネみたいなものがあって、それを花開かせれば皆悟りを開いて解脱できるという考え方です。

でも華厳経はその立場とちょっと違って、人間はもとから奥に結び合っている世界をもっている。それは自然とも結んでいるし人間どうしを結んでいるし、宇宙の果てとも結んでいる。このつながり合っている世界を奥に置いて、そこから出てきた現象が我々のみえている一人ひとりだ。だから全員がじつは全宇宙的な世界とつながり合って生きているということで、こっち側が本質だということなのです。この世界こそが盧舎那仏の世界だと。だからこの奥の世界に盧舎那仏と共通する関係し合う世界を置いている。ただ、そこに自我なんていう余計なものが入ってくるために、この奥の世界を閉じ込めて、現象のほうの世界だけでものを考えたりしている。だから自我なんていうものをやめてしまえば、盧舎那仏の世界で生きている自分に切り替わるということでもあります。

ここにあるのは、盧舎那仏世界そのものをつくっている関係的世界、それが自分たちの土台にもある、だからこの関係の世界に帰ればいいということなのです。そこから即身成仏思想がでてくる。ここに帰ってしまえば誰でもただちに成仏できる。だから長い苦しい修行はまったく必要としない。あるときにはなかなかわからないので長い修行をしなければいけなくなってしまうかもしれないけど、この関係的世界にストンといっちゃえば即成仏、即身成仏です。

山形の鶴岡のほうに行くと即身成仏のミイラがありますけど、あれは考え違いをしている。即身成仏はミイラになることじゃなくて、ただちに悟りを開くという意味なので、ミイラになりたい人はなってもいいけど、別にあれが即身成仏ではない。

だから即身成仏のあり方は、本来の自分たちをつくっている奥のつながりの世界への回帰なのです。それがうまくいけば誰でも即、仏になる、悟りを開くという考え方です。これも真言密教に受け継がれていて、だから真言密教は即身成仏思想をもっている。ただちにこの場で成仏する、それをめざすということになる。この発想も華厳経の発想でもある。すべてを関係論だけで解いたがゆえにそれは生まれた。

清浄な関係とは、自《おの》ずからの関係

華厳経はそんなに重視されていないけど、利他という言葉も日本の社会で普通に通用する言葉として浸透したし、だから華厳経の内容はけっこう浸透したのです。その理由はたぶん、日本の人たちの感じ方からすると、すべては関係の上にできあがった世界だというとらえ方は理解しやすかったのだろうということにあった。すべての関係が清浄であれば、つまり正しい関係であればよいということです。自然との間でも人間どうしでも「清浄な関係」とは何かをみつけだしたかった。それは逆に言うと、関係のなかに邪が入ることを嫌がるということでもあります。関係のなかに邪が入ってしまうと、でてくる現象のほうでも悪いことがいっぱい起きてくる。だから邪を消して清浄にする。

奈良の吉野にある金峯山寺《きんぷせんじ》という修験道系のお寺では、節分祭のときに「鬼はウチ」というのをやっています。全国で追い払われた鬼に、「うちにおいで」ということなんです。そうすると鬼がいままでの悪事を反省して「これからは仏を守るために頑張る」といって仏の世界の一員に入ってくるという、そういう儀式なのです。ではいままで何が悪かったのかというと、悪い関係のなかで生きてきたということなのです。その誤りに気がついて、「これからは清浄なる関係のなかで生きる」と変わる。鬼は力はありますから、「これからは仏を守るガードマンをやる」みたいな感じです。関係に邪が入っているから悪事が出てくるという考え方なのです。

修験道はべつに○○経典を重視するわけではないですけど、読む場合には般若心経が一番多い。ただ修験の考え方としては華厳経の考え方を一番受け継いでいるという感じです。では清浄な関係とは何かというと、ここに自然《じねん》というのが出てきます。つまり一切の作為的なものが入らない、自《おの》ずから然《しか》りの関係、本来の自《おの》ずからのままであると。そこに人間の自我が介入してしまうと作為的なものが入ってしまう。それを消し去っていくということです。

だから華厳経に入っている言葉で「法爾自然《ほうにじねん》」というのがあります。逆にすると「自然法爾」で、「自然のままに、自然の真理」というような意味です。作為的ではない、自《おの》ずからのままにということです。たぶんこういう考えは日本の人たちにはわかりやすい。なぜかというと、80％以上が農民だという昔の百姓時代では、作物をつくるときに作為的なことをやったってだいたい失敗する。まさに「自《おの》ずからのままに」、それが一番安定する。自然と深く付き合ってきた人間たちは「自《おの》ずから」（自《おの》ずからの関係）ということがいかに大事かを知っていた。だからこういう思想が日本の場合はわりに短期間で入ることができた（＊17）。

いま、自我のかたまりになっている現代人からすると、こういう考え方はわかりにくくなった。それはヨーロッパの近代思想の入れすぎの結果という感じなのですけれど、こうして「私が、私が」の世界をつくってしまった。自《おの》ずからの関係を重視するという発想はどこかに消えてしまった。

日本の思想ってこんなものももっていた、ということを、もう一度振り返りながらいろんなことを考えてみるというのも、いまの時代、必要なのではないでしょうか。

（＊17）おのずからの関係について詳しくは、⓯『共同体の基礎理論』所収「社会デザインの思想」（226頁～）

第3講

明治以降の日本を問いなおす

明治が潰したもの

「富国強兵」のウソ

明治以降の日本の評価は最近だいぶ変わってきつつあります。ペリーが日本に来航した頃にはアメリカと日本のGDPは同じぐらいだった。それが1941年（昭和16年）の開戦のときには10対1になっていた。そうすると明治とか大正、昭和初期というのは何をやっていたのか、という話になります。「もう経済成長の時代じゃない」と言っていたならともかく、富国強兵路線をしいていながらこの結果とは、壮大なバカなことをしたのではないかと思えてくる。経済史を研究している人たちからは、いまではそういう問いなおしもはじまっています。

あえて擁護すれば、日本の場合には幕末の頃はおよそ250年間戦争をしていないので、軍事技術が戦国時代のままだったのです。そういう問題を克服し、近代的な軍事力を整備しようとしたために、経済力の全面発展にはならなかった、という言い方はできないでもない。ただし次のようなことは押さえておかないといけない。

江戸期の日本の鉄の一番の産地は出雲地域のいわゆる「たたら（踏鞴）鉄」という、たたらを使って製鉄をする方法でした（*18）。いまの製鉄のやり方だと、まず高炉を使って銑鉄《せんてつ》という、鋳物みたいなものですけれど、その鉄をだしてきて、その銑鉄を、転炉とか電気炉とかいくつかやり方があるのだけれども、もう一度溶かして練り直す。そのことによって不純物を除去して、もうちょっと純粋な鉄に近いものをつくる、そういう2段構えの製鉄をする。これに対して日本のたたら製鉄は、ひとつの竈《かまど》のなかで、銑鉄をつくらずに一気に鋼《はがね》をつくってしまうというやり方です。だから日本の場合には鉄イコール鋼でした。なぜかというと日本の鉄は刃物の原料だったわけです。日本刀をつくるにしても包丁をつくるにしても、ともかく良い刃物ができればよい。その点ではたたら鉄は刃物用にはたぶん世界一の鉄です。いまは1カ所だけでわずかにつくっていますけど、たたら鉄さえあってくれればもっといい刃物類がつくれるのだけどなあ、というのが、今日なお本当のところです。

いま和包丁が世界的に人気が上がってきて、ドイツなどでは「デバボウチョウ」で通用するぐらいです。やはり切れ味がいいと全然違いますので、ゾーリンゲンがいいとか言ったって日本の和包丁にはかないません。いまは本当にたたら鉄を使っているのはほとんどないのですけ

（*18）自然や農山村をパートナーとして成立した工業としてのたたら製鉄について――❶『労働過程論ノート』（136頁〜）、❿『森にかよう道』（188頁〜）

れど、そこから流れてきている技術の延長線上でできているものだから、やはり日本の鉄技術は相当なものではあるのです。

ところがこれ、硬いので、大砲をつくるのには全然向いていないのです。大砲はなかで火薬を爆発させるので、その爆発を少しだけ吸収してくれるぐらいの軟らかさがないとうまくない。日本の鉄は硬すぎて大砲がつくれないのです。戦国時代の終わりぐらいに大砲が出てくるのですけれど、日本の大砲は青銅砲といって青銅を使ってつくった。こっちはこんど軟らかすぎちゃって、だいたい20～30発撃つとぶっ壊れるのです。これでは軍艦に積む大砲としてはどうにもならないということがあって、それで幕末のときに困った。で、なんとか大砲をつくろうと、いろんなところで反射炉をつくろうとしたり、いろいろしたわけです。

日清戦争のときに日本が使った大砲はどうしたのかというと、じつは出雲の鉄なのです。たたら鉄の職人が、幕末の頃から必死になって技術改良をした。それをやっていくうち、ついに大砲の鉄を出雲の方式でつくるのに職人たちが成功した。

八幡製鉄所は外国の技術を単純に入れてしまったものだから、いくらトップのほうはお抱え技師がらみといっても、ああいうやり方に日本の職人さんたちはまったく慣れていないので、じつは八幡は火入れをしてから10年以上にわたってまったく生産できなかったのです。動かすとトラブルが起きる。どこをどうなおしたらいいのかわからないので、うまくいかない。その間に出雲のほうが古い技術の改良で大砲などに使う鉄を生産できるようになって、日清戦争は出雲のたたら鉄を使って戦った。

在来技術を徹底的に潰した

そこまでできたのだったら、その技術を活かして、それをさらにより近代化するのにはどうしたらいいかと考えればよかったのですけれど、明治30年代に入ると八幡製鉄が動き出した。つまり、西洋式の鉄がではじめるわけです。そして日露戦争のときには八幡の鉄が大砲原料としてかなり使われた。すると、そっちが動いてしまったら、今度は明治政府は出雲のほうを潰しにかかった。それで出雲の鉄はほとんど生産されなくなってしまう。なんでこんなことをするのか、本当にわからない。それが結果として八幡の独占体制をつくって、それがまた財閥とか藩閥とかの利権構造をつくることになっていきます。

結局、在来技術の積み上げでものをつくっていくということをまったく省みていない。そういうことをくり返しているものだから、日本のもっている基礎的生産力を潰しながら輸入技術だけを入れていくというやり方で、結局ＧＤＰがふえないということになってしまったんです。

このあたりもいま見直さなければいけないことで、いまの日本の場合、グローバルとかいろんな名前を付けながら、在来技術を捨てて外国の真似をすればいいみたいな風潮がまた広がっていて、それ、本当に自分たちの経済力をつける道なのですか？ と問い直したくなる。

地域の教育力を潰して国の学校に

教育も、江戸時代には相当のことができていました。

江戸期の教育が巧みだったのは、何通りも教育コースをもっていたことです。もちろん家のなかの教育というのもあることはある。だけどそれだけじゃなく、地域教育という、なんとなく地域がいろいろなことを教えていくというかたちもありました。それから、若者組とかそういうものを形成しながら先輩が後輩に教えていくやり方も定着していたし、さらに寺子屋教育もあった。何段階もの教育の仕組みを地域社会が内蔵していたのです（＊19）。

そのなかで一番うまくいかなかったのが親の教育でした。昔からそんなものだったらしいのです。昔だったら小さい頃から親の農業を手伝ったりしているから、結果としては教わったりするのですが、あくまで結果として教わっているだけであって、親から子にきちんと伝えていこうとしても、たまにはうまくいくこともあるでしょうけど、むしろ失敗するケースのほうが多かったようです。

明治以前の日本にはこういう優れた地域教育の仕組みがあったのに、なんで明治になるとそれを潰さなければいけなかったのか。すでにあるものを母体にして新しいものも入れるぐらいでやっていけばよかった。実際、そのときに地域の学校を取り上げて国の学校にしてしまったことで、我々はいまだに苦労しています。学校とはなにかを今日もなお考えなければいけなくなっている。これは明治からの問題をいまだに引きずっているということでもあるのです。特にいまは地域の教育力がものすごく低下しているので、昔だったら地域で教えていけばいいようなことを親子で教えようとすると――もちろんそういうことは学校では絶対に教えない――、そのために無理がくるということも起きています。

僕のいる上野村の場合、若者組まではいかないけれど、Iターン者が来るときは、消防団と、独身だったら青年団、そこに入ることだけは絶対条件にしています。そうすると、特に消防団に入ると、そこで自分たちの地域の大事なこととかを教えてもらう。昔の若者組のような役目を消防団がやっていて、これが機能しています。

生命がつくる色から三原色へ

音楽でも、明治期に学校で音楽教育がはじまったら、日本の旋律をいっさい教えないという

（＊19）地域の教育力、近代以前の民衆教育について――⓫『子どもたちの時間』

ことで、和旋律を否定して全部五線譜の西洋式の旋律に切り換えてしまった。和旋律の世界はお琴とか三味線とか趣味の世界でしか残っていない。なんでここまで徹底してこんなことをしなければいけないのか。

さらに色表現でもそうだけど、赤、黄、緑というのは西洋の色の表現です。日本ではむしろだいたい2系統の色表現をしていて、ひとつは染料からきている色表現です。たとえば藍染めからくる藍色とか、アカネという草からとってくる茜色とか。多少藍染めをしたことのある人ならわかるように、色の濃さはものすごく幅があって、薄く染めてしまえば空色に近いような藍色になりますし、濃く染めれば黒まではいかないけれども相当強い藍色になる。あれ全部、日本の場合「藍色」なのです。すごい幅があるのです。それはアイという草の生命《いのち》がつくりだした色というのが藍染めなので、藍色はこの色、という特定の色ではない。

染料系ではないもうひとつの色表現も、日本の場合は、生命がつくる色なんですね、表現の仕方が。たとえば空色というのは空という生命がつくる色です。それはものすごい幅があって、白くてもいいし、いわゆる空色、スカイブルーみたいな色でもいいし、雨が降るときなどむしろ灰色でもいいし、あるいは無色透明でもいいし。つまり空という生命がいろんなかたちで私たちの周りに現われてくる、それを全部「空色」という。水色も、いま「水色」というとスカイブルーみたいな色を指すような気がしてくるけれど、これも水の生命が示す色なので、無色透明でもいいし、白っぽく濁っていてもいいし、グリーンっぽくってもいいし、ブルーっぽくってもいいし。日本の色表現は、みんな生命がみせる色なのです。春は萌黄《もえぎ》色の季節と言いますけど、萌黄色というと黄緑色みたいなのが代表的ではあるけれど、春になって生命が萌え上がってくるときの色だから、よくみるとそこには白っぽい色もあるし、ちょっと赤みがかっているものもあるし、それら全部「萌黄色」です。逆に紅葉色は、秋になって木々が生命を閉じるときに最後にみせる生命の輝きという位置づけなので、赤くてもいいし、黄色くてもいいし、そこにグリーンが入ったって構わない。昔の人の発想としては、冬というのは生命を閉じている季節で、その生命を閉じる前に木々が自分の生命を輝かせる、そのときの生命の色というとらえ方なのです。だからこれもものすごく幅のある色です。

そういうかたちで色をみていた人間を、「赤、黄、緑」で色をみる人間に変えてしまう。それを明治政府はやった。本当に不当だなと思う。なんでここまで徹底してそれをやらなければいけないのか、本当に不思議な限りとしか言いようがない。人間の感性を全部変えようとしたと思ってよくて、そんなことをやっているから基礎的な経済力だってむしろダメージを受けたのです（＊20）。

そんなこともふくめまして、明治からの歴史を全部見直すことを、やはりやらなければいけないという感じがします。

国民の形成、国家への集約

国家もまた虚構

もうひとつ言えることは、近代というのは国家の時代、国民の時代でもあるということです。日本で言えばそれまでは○○藩が国だし、さらに言えば国のなかでは自分の村が国だし。そんな感じで生きていた人間たちを日本国民にして一元的、中央集権的な国家をつくった。ところが、その国家は、お金と一緒で虚構にすぎない。

「国家って何」という話になると、「国家というものがあるから国家なんだ」としか言いようがない。しかもその国家を皆が国家として承認しているから国家なんだと。ただ、そのうちに制度ができて、我々はその制度から逃げることができなくなる。たとえば車を運転しようとしたって、免許証なしで運転したら相当勇気のある行動になっちゃいますし、免許証をもらうということは、都道府県が出すとは言いながら、いわば「運転していいですよ」ということを国家に承認をもらわなければいけないということになります。海外に行くといったらパスポートをもたないと行くことができない。いまの社会保険制度からいろんなものにいたるまで、結局、国家制度というものを無視すると生きていくことが大変になってしまう。そこに巻き込まれて、否応なく国家を承認するということにならざるをえなくなっていく。

よく考えてみると、別に藩が国家だっていいのです。なんで日本国でなければいけないのか。皆でそれを承認せざるをえないような制度ができてしまっているから国家なんだというだけです。本当に国家自体がなになのかというと、みんなが認めているから国家なのだという「共同幻想のしろもの」と言ってもいい。ただ、いつの間にか、単なる幻想ではなくて実体をつくってしまうという、お金と同じ構造なのです。お金も、皆が信用しているからお金だ、という虚構の産物なんだけれど、いつの間にかそのお金が実体をつくり上げている。「私たち、お金に腹が立ったからお金を全部廃棄します」というのはよほど勇気が要る。完全自給自足体制でもつくらないとやっていけないということになってしまう。それと同じような構造で結局国家ができあがってしまう。

（＊20）「色に関するどれほどの言葉が消滅してしまったことだろう」❺『**自然と労働**』所収「**失われた感覚**」（259頁）
「［修験道弾圧のため］政府は繰り返し薬事法を改正し、民間生薬の世界を破壊しながら……民間の薬屋の営みを追い詰めていった」⓯『**共同体の基礎理論**』（155頁）

虚構を支える共同幻想

ところが、そのできあがっていった国家は虚構だから、国家が国家であるための条件、つまり皆が国家を承認する条件はふたつぐらいしかない。ひとつは、国家を承認するメリットがあるということです。たとえば、国家の一員ならばある程度の年金が受け取れるとか、病気になったときにも社会保険でカバーできるとか、あまりお金を使わなくても子どもを学校に行かせられるとか……。

もうひとつの条件は、「わが国は発展しつつある」という幻想です。これが絶対必要になる。だから明治以降の日本でも「日清戦争に勝った」「日露戦争に勝った」とか、「日本はアジアの強国になった」、さらには「欧米と肩を並べる列強になった」とか、そういう式のものをくり返しくり返し宣伝しながら、「発展する国家の一員であることの喜び」みたいな――またそれもひとつの虚構なんだけれども――、そういうものを絶えず提案していかなければいけなくなった。それがうまくいっているとき、人々は国家の下に一本化する。いまの中国もそうですけれども、「GDPが世界2位になった」「いま、世界の強国になろうとしている」みたいな、それが中国国家を国家たらしめているということでもある。それを笑うことができないのは、ついこの間まで、日本も同じことをやっていたのです。

国家というのは「わが国は発展しつつある」という幻想が絶対必要です。それが「わが国はいま落ち目になってきている」というような共通認識になってくると、国家の瓦解がはじまる。たとえばいま、無茶苦茶になってきたベネズエラとか。アメリカの介入とかで無茶苦茶になっているのだけれど、しかし「どうも失業者もふえているし、仕事もないし、インフレもすすんでいるし……。わが国はちょっと落ち目になっている」となってくると、たちまち国家のなかに対立も起きてくるし、「よき国民」であろうという意欲がなくなってくる。

つまり国家というのは、たえずいろいろな制度を整備して、国家の一員であるとなんらかのメリットがあるような体制をつくることと、「わが国は発展しつつある」という幻想をつくるという、そのふたつに支えられて国家は国家でありつづけるという構造だった。

そうすると、「わが国は発展しつづける」という幻想がひとつの柱になっている以上、国家の時代は、ハードな帝国主義かソフトな帝国主義かは別として、やっぱり帝国主義の時代なのです。ハードな帝国主義といったら文字どおり軍隊を出して支配していく帝国主義になるし、ソフトな帝国主義といったらば経済とかいろいろなものを使いながら自分の覇権を強めていくという、そういう感じになりますけれど。結局、発展するということは、よそを屈服させるということですから。

また、国家の一員であることでなんらかのメリットがある、という体制をつくるためには、結局国がそれだけの富をもっていなければいけない。かつては先進国が世界の富を独占した。そのことによって、先進国では、国家が国家たりうるための基盤ができたのです。

先進国による富の独占の終了

それがいま、先進国が富を独占する時代が終わってきた。いろいろなものの世界最大の生産国がだんだん中国になりつつある。GDPではアメリカが1位ということですけれども。

もちろんこのGDPというのも共同幻想みたいなもので、お金に全部換算してしまうから、古い社会を残しているようなところだとお金に換算できないような経済がいっぱいある。それは全部漏れていく。それから、中国がGDPが大きくなるのは当たり前の話で、だって15億ぐらい人間がいるわけです。ということはGDPが日本の10倍以上あってもやっと同じくらいということになりますから。こういう計算をしてしまうと、たとえばポリネシアの島国は、いつもGDPの最下位のほうに決まっている。その国はなにをやったって最下位。だって人口10万人しかいないとか、そんな国が世界のGDP強国になるはずがないでしょう。だけどその人たちが別に不幸な人生を送っているわけではない。それだけをみてもGDPは幻想なのです。GDPが世界1位だ、2位だというためには、ある程度の人口が必要であるということになっちゃいますから、「こんなのどうでもいいんだけどな」という感じがします。

ただ、やはり中国がＧＤＰ２位になってきたということに象徴されるように、さまざまな生産がどこでもできるようになってきたし、結局そうなると先進国が富を独占することもできない。

苛立ちと、国家への期待

そういう苛立ちみたいなのが発生しているなかで、「もう一度、偉大なるアメリカを再建する」と言ったトランプさんのような人が一定の支持を維持する。日本でも、ＧＤＰを大事にしようとすると、中国には抜かれるし、最近では韓国になめられるし、プーチンにはコケにされるし……と、そういうのをみて苛立つ人もでてくるわけです。そうすると、「強い国家を再建してほしい」と思う人たちが当然でてくるし、安倍首相が「強い日本を守るんだ」みたいな感じをだしてくると、一定の支持は形成できる。現在では日本に不安を与えている国々が安倍政権を支えている。中国と北朝鮮と韓国とロシアとか、それらが必死に安倍政権を支えているという感じになっている。そういうような時代がまた世界中で発生してくるというのがいまの時代でもあるのです。そういうことを経ながら近代的世界が行き詰まってきたという感じがします。

国家主義的なものがでてくるときは、行き詰まっているからでてくるのです。たとえばナチスがでてきたときだって、ドイツがベルサイユ体制以降の時代のなかで、あのときには第一次大戦の多額の賠償金問題とかいろいろあって行き詰まっていた。

ですからトランプ政権が発生したり、安倍政権が持続したり、そんなことが起きているのは、やはり行き詰まった世界を象徴しているということでもあるのです。

転換期のせめぎ合い

今日では社会が転換期を迎えてきている。転換期というのは、良いほうに転換するか悪いほうに転換するか、そのせめぎ合いが同時に起きるのです。だから悪いほうに転換すればいナチズムの時代みたいな方向にいってしまう可能性もあるし、良いほうに転換できれば僕らが望んでいる方向に少しずつ動くというふうになるのでしょうけれど、ともかく両方の可能性をもっていることは確かなのです。

言葉が変わるとき

転換期とは、言葉の意味合いが変わっていく時期でもあります。というのは、記録に残っている限りでは、日本語は2回、大転換があった。

ひとつの転換期が平安時代の終わりくらいにあった。あのときに日本語の意味がものすごく変わっているのです。たとえば『平家物語』は、ちょっと古文に慣れている人には、寝っ転がって原文を読んでもまあまあ読める。ときたまちょっと意味がわからないところが出てくるにしても大丈夫なんです。というのはあれは鎌倉時代の文献だからです。

ところが『源氏物語』を寝っ転がって読むと、よっぽど読める人なら別ですけれど、意味を百八十度取り違えてしまう。『源氏物語』を読むときには、辞書を片手に机に座って読むという感じでないと絶対無理です。なぜかというと、「源氏物語」の時代の日本語と「平家物語」の頃の日本語はかなり変わっている。それが古代から中世への転換だったということです。つまり古代の王朝時代から中世の武家時代への転換というのは、社会の根底を揺るがすような転換だった。そういうときは、言葉の使い方とか意味合いが変わる。だから平安時代より前のものを読むときは心して読まないと難しい。

2回目の大転換は明治に起きた。このときには外来語が入ってきて、それまでなかった日本語がいっぱいできた。いま私たちが使っている言語は明治言語がすごく多くて、たとえば「社会」も明治言語ですし、「共同体」もそうだし、さらに日本の場合はそもそも自然と人間を分けていない。第1講で「自然と人間がこの社会をつくっている」という言い方をしたけれども、正確に言うと、自然と人間を分けていないのです。当たり前のように自然も我々の仲間としてこの社会をつくっているということなので、「自然《しぜん》」という単語がなかったのが日本の社会でした。「自然」はジネンと読んで、「おのずから」という形容詞とか副詞的な意味合いで使ってきた言葉でした。それが、英語でいえばnatureを訳さなければならなくなって、それで「自然《しぜん》」という訳語を充てた。だけど、私たちはいま、「自然」という単語を使わないと意思表示することも難しいぐらいになってしまった（*21）。「人間」もそう。「個人」も明治の翻訳語です。江戸期までの日本には「個人」という概念はない。むしろ結び合ってこそすべてがあるので、個人なんてものは重視していない。結び合いの世界こそが本質で、そっちを重視している。それが明治になると、個人を軸にしてものを考えるという発想が入ってきて、いつの間にか僕らも個人を軸にしてものを考えるような思考様式に慣れてきた。

言葉が変わっていくのは、そのことによって人間の考え方も変わっていくので、やっぱり非常に大きな転換期を迎えるということです。その後も小さな言葉の転換は絶えずあって、それは使う道具によっても変わっていきますから、たとえば手紙を出していた時代からネットでメールを出す時代になる。最近ではＬＩＮＥなど使ってとても短い文章でやりとりする。それで、いまはインターネットの登場による言語の転換期だというようなことを言う人もいるのだけれど、僕は使い方が変わっただけで明治以降の踏襲だろうというふうにいまのところは思っています。

「保守」と「革新」

ただし最近では、言葉の意味内容の転換みたいなものが若干はじまったな、と思っています。古い言い方ですけど「保守と革新」という言葉を使った場合に、昔の、革新の代表が社会党だったような時代には、社会主義的な考えをもっている人たちは、すべてを変えていこうとした。国のかたちも経済のかたちも、さらに私たちの考え方も変えていくというようなことを社会主義系の人たちがめざした。それがよかったかどうかは別として、文字どおり革新だったわけです。すべてを革新するぞ、という考え方だったわけです。それに対し保守のほうは「いや、待ってくれよ。我々は守りたいものがいっぱいあるんだ。多少の変化はいいかもしれないけれど、基本は変えませんよ」と。そうやって保守と革新という対立が発生していた。

ところがいまは、たとえば安倍政権は明らかに政治的には保守系ではあるんですよね。ところが安倍首相は、何を守りたいのかがさっぱりない。むしろ変革の人なんです。良い変革か悪い変革かは別な議論になるけれども、たとえば女性ももっと働けとか、働き方改革とか、規制緩和もそうですし、とにかく「このままじゃダメだ」というのです。つまり、いつも要求して

（＊21）自然という言葉の意味の変化について――❻『自然と人間の哲学』（52頁〜）

いることは「変えろ、変えろ」なのですね。だからＴＰＰも「変えろ」ですし、種子法の廃止だって「変えろ」だし、農協にも漁協にも「変えろ」だし……、つまり変革要求なわけです。

いまでは保守が変革の人になっているのです。その変革の果てにあるのがグローバルとか、そういう話になっていって、ますますお金の世界の話だなという感じではありますが、そこへ向かったいろいろな変革を要求しているのがいまの保守なのです。

村と暮らしを守りたいだけ

では、それに抵抗している人たちは何なのかというと、むしろ昔の定義なら保守なのです。たとえば、ちゃんとした農業をやっていきたいとか、ちゃんと村を守りたいとかなのです。

去年、島根県の隠岐の島の海士町《あまちょう》を訪ねました。海士町が最近有名なのは、都会の若者たちがいっぱい行って、しかもけっこう自由に地域づくりをやっている。確かにそれはそのとおりなんですけれど、より強く感じることは、それをやらせている島民がいるんだよな、ということのほうです。若者が島に来て、いくら地域のためだと思っていろんなことをやったって、孤立無援ではじめたらそんなものはうまくいかない。むしろ島民たちが「来てくれ」と呼んできて、来た人たちに自由にやらせているということが基盤にあるから、そういうことができている。

その島民のなかで、若者たちと一緒にいろんなことをやっているタイプの人たちは、１割、場合によっては５％ぐらいかなという気がします。実際には、海士町でも９割とか95％の人は、黙ってみているだけの人という感じです。ただ、足を引っ張ったりはしていない。特別に協力もしないけれど、「うまくいくのかね」と思いながらみている。その人たちの活動にある種の期待感はもっているから、足は引っ張らない。

では、一緒にやっている人でもみている人でも、何がやりたいのかというと、昔からの島を守りたいだけなのです。

あの島は漁業が軸になって、入江ごとに小さい川が流れていて、ちょっとした田んぼがあったり畑があったりする景観です。自分たちが食べる分ぐらいの農業をしながら、収入的には漁業が主という感じの島です。入江ごとに集落があって、それぞれが独立している。岩山みたいな島で、隣の集落に行こうとすると海沿いの道がなく、一度山頂近くまで行って降りて来るルートしかないので、だから結果として、集落ひとつ一つが独立した村みたいなものを形成している。ひとつ一つの村に神社があったりお寺があったりしていて、もちろん祭りとかもあるし、本当に良いも悪いもひとつの共同体みたいな、地形的にそういう場所なんですね。あと、肉牛を飼って放牧している島民がいるのですが、牛については、誰の山に放してもいいという島中の取り決めがあって、牛を適当に放している。

そういうことをふくめた島の共同体があって、「そういう島を守っていきたい」「昔からつづいていた島をこれからもやっていきたい」。島民が希望しているのはそれだけなのです。だからこれ、保守なのですよ。考えたら僕の村（上野村）でもそうだけれど、何が目的なのかというと「昔からの村を守っていきたい」というだけの話なんですよね。根っこにあるのは完全な保守。

ところが、いま、昔からのものを守っていきたいと言っても、さまざまなものが潰れてしまうような、というか潰されてしまうような時代にきているので、ちょっと新しいことをやって頑張っていかないと、守りたいといっても守りきれない。そういう現実があるから海士町では若者を入れたりいろんなことをやっている。上野村でもけっこういろんな試みをやっています。新しいことをやっているという部分だけをみると何か新しい変革をやっているような感じになるのだけれど、実際にはその根底にある思想は、「昔からのものを守りたい」という保守主義なのです。

もとの姿に

いま、気がついたら本当の保守主義みたいな立場にある人たちが、安倍政権的な変革の論理に対して抵抗しているという感じで、保守と革新の内容が逆転してしまった。むしろいまの政権側が革新だと言うこともできる。良い革新か悪い革新かは皆さんで考えてもらうにしても、ともかく、「これも変える」「あれもこれも変える」ということをしている。

いま、大学にいてもそうですけど、文科省は「変えろ、変えろ」とそればかり言ってくるのです。僕がいたときだって、「大学の授業の3分の1は英語でやれ」とか言ってきて、そうしたら英語が得意な先生ばかりじゃありませんので。あらかじめ用意してきたものをみながらだったら英語でできるという先生はけっこういると思いますけど、いまは留学生も多いですから、そういう人たちに英語でバンバン質問されて対応できるかとなると、そんなことできる人はほとんどいません。そうしたら文科省が「通訳を入れてもいい」なんて言ってくるんですが、その授業通訳をどこで雇うんですか？　その金を文科省が出してくれるのですか？　という感じです。それから、通訳を介してやるような授業が1回ぐらいはあってもいいですけど、毎回通訳が入るというのはコミュニケーション上いいんですか？　という問題もある。やはり生の声で人間どうしがやり取りしているのがいいのです。さらに英語の授業も大変だという話になってきたら、今度は「教員の3分の1を外国人にすればいいんじゃないか」なんて話になってきて（笑）、どこの大学でも苦労をしている。文科省は「グローバル人材を育てる」とか言うのですけど、連中の言うグローバル人材って、依然として「英語のできる人」程度の話なんですよ。

こういうことがいま必要なんですか？　ということなのですけれど、本当にいろんなかたちで「変えなさい、変えなさい」という指示がしょっちゅうある。

だからいまは、保守だと思っていた人たちが革新になって、むしろ本当の保守の心情をもっている人たちがそれに対して抵抗をするという構造になっている。気が付けば「共同体が大事だ」とか「自然が大事だ」とか、「自然と人間の関係が大事だ」とか……。つまりいまの抵抗勢力は、考えたら古いことばかり言っている。そういう人たちが、新しい、いまの政府とは違う路線に変えようとしているのだけれど、変えた先にみているものは何かといったら、「もとの姿に戻ろう」と、それが基本にある。

伝統回帰の時代

ただし「もとの姿に戻ろう」とは、そっくりもとの姿に戻るわけではなくて、大事なものをちゃんと保持した新しいかたちをつくるという意味です。そうならざるをえないのです。仮に日本中の人たちが全員決意して血判状を出して「江戸時代に戻る」と宣言をしたとして、私たちは戻れるか、というと、絶対無理なのですね。江戸時代に戻るためにはまず人口を3000万人に減らさなければならない。そして江戸時代の自然が必要です。3000万人の人口と江戸時代の自然があってこそできているのが江戸時代ですから。すでに自然をそこらじゅうで変えてしまっているし、人口は4倍くらいあるし、その状況でいくら皆が「江戸時代に戻りたい」と決意しても、戻れないのです。現実としてはそうです。ただ、江戸時代がもっていた、「いまみると、これは別に潰さなくてもよかった」という大事なものとか、大事な精神とか、そういうものを生かして現代的に再創造する。この想像力が必要なのです。

このような意味で伝統回帰の時代になってきている。つまり、近代以前のものをもう一度見直していこう。人によっては江戸時代どころか縄文に帰るべきだと言っている人もいる。ただ、縄文も良いのだけれど、この時代のことはよくわからないのですよね。矢尻とか土器しか残っていないから……。

近代的世界が行き詰まるなかで

国民国家、市民社会、資本主義——どれも限界

近代的な世界は国民国家の時代だった。社会としては市民社会の時代、経済としては資本主義の時代。それが三位一体で展開したのが近代という時代だった。

ところが気が付けば、国民国家もそろそろ限界だなという感じがあるし、市民社会も昔はプラスイメージで語られたのだけれど、いまになってみれば個人がバラバラになって孤立している社会というふうにしかみえなくなっているし、資本主義のほうももうどこの国でも格差が広

がって、資本主義が国民全体を支えるという時代はもう終わっている。

なぜ外国人労働者なのか

本当に不思議なのですけど、たとえば「人手が足りないから外国人を入れましょう」という話がでてくる。今年はとりあえず20万入れるとかそんな話が聞こえてくるけれど、いま日本の社会で引きこもって、家に閉じこもっている人たちが、たしか60万くらいいる。その人たちのほとんどが、じつは社会復帰したいのです。ところが長期にわたって閉じこもったりしているから、なかなか社会復帰の方法が発見もできないし、その勇気もなかなかでてこない。だからそれを支援するNPOが一部助けている。東京でもそういうNPOがあって、地域の活性化も絡めて活動しているところもあって、立川のほうのNPOだと商店街のお手伝いに行く。ずっと閉じこもっているからはじめはなんでもうまくいかない、人間どうしの会話ができなかったりするので、NPOの人が一緒に行って店をアルバイト的に手伝う。だんだん慣れてくると、NPOの人が付いていなくてもやれるようになる。別にずっと店をやらなくても、そういうところから社会で生きるスキルを身につける。この人たちはすごく喜んでいる。だったらまず、日本の閉じこもっている人たちを、社会復帰したい人たちが大半なのだから、それを支援して社会復帰してもらったらどうか。それだけでも、いま言っているような労働力問題は数的には辻褄が合ってしまうのです。

日本のなかにそういう人たちがたくさんいる。障害者でもそうですけれど、障害といってもいろいろな障害がありますから、「こういう仕事だったら十分できる」とか、いろいろあるのです。ところが、働きたいのに働く場所を提供していない。だから課題は日本の社会のなかでいろんな人たちがいろんなかたちで働ける仕組みをどうつくっていったらよいのか。これは行政が何か言うだけでは無理なので、NPOとかボランティア組織がある程度協力をしていかないとできない。マンツーマンの協力が最初は必要なので。そういうふうなNPOに対して少し財政支援をするとか、いろんなやり方があるはずです（＊22）。

立川のほうのひとつの商店街は、そういう人たちをどんどん受け入れてみたら結果として商店街の活性化にもなってきた。商店の人たちも、ボランティアで受け入れているという感じではなくて、こうやって地域を活性化する道筋があるのだなというのがみえてきたという、そんなところもあったりする。

なので、もっといろんなやり方があるはずです。だけどそういうことをするのではなくて、何か手っ取り早く、しかも使い捨てでできるような人を入れたいという政策になっている。

（＊22）「推し進めたい障害者の労働参加」❹『哲学の冒険』所収「哲学のロマン」（254頁〜）

人間の搾取から、道具の使い捨てへ

念のために言っておくと、フランスだと1960年代に入って、高度成長で——日本の高度成長期と言われている時期は、じつは先進国みんな高度成長期だった——労働力不足になったのです。それでヨーロッパ諸国は外国人労働者の大量導入を図った。旧植民地だった国の人たちで、フランスでいうとアルジェリア、モロッコの人が多かった。他方、アメリカは移民で乗り切ったという感じです。絶えず移民が入ってくるから労働力不足が解消されるというかたちになった。

そのなかで一番大変なのは日本でした。というのは、まだ戦争の記憶が鮮明な頃ですから、日本の場合、外国人労働者を入れるといったって、周辺から入れなければいけないから、そうすると、では韓国から入れましょうといったって、いろんな歴史問題があって無理。中国は当時毛沢東の中国ですから、来てくださいなんてわけにはいかない。ベトナムではベトナム戦争をしているし……。つまり日本では仮に外国人労働者を入れたくても入れられるような条件下になかったのです。しかし労働力不足だった。

そのときどうしたかというと、日本はそれを工場の機械化とか省力化で乗り切っていったのです。その結果として、工場に関して言えば世界一生産性の高い工場ができあがった。そこで働いている人たちを、悪く言えば徹底的に搾取するということですけど、使い切らなければいけない。10人必要なのに8人しか確保できないというような状況で工場を動かしていたのです。だから人間丸ごと利用するみたいな感じになって、それで企業内の社会福祉制度とかいろんなものも整備しながら、みんなして忘年会をやるとか運動会をやるとか飲み会をやるとか……。それはもちろん別の意味ではいろんな問題をつくるのだけれど、いまになってみると、人間を丸ごと利用しようとしている、そういう経営であったことは確かなのです。そのやり方は、ちょっとかなわんな、というのがあったとしてもです。

それに対していまは、労働者を人間として使っていない。あくまで道具として使っているだけ。企業を回す道具にすぎない。特に非正規雇用になればそういうことになる。

それが蔓延すると、僕は60年代とか70年代の日本の経営を当時は「イヤだな」と思っていたのだけど(＊23)、いまになると「いまよりマシか」という感じもする。つまり働き手を人間としてみていた。ただし、その人間を雑巾を絞り切るように使おうとしたということですから、「まぁ、ちょっとな……」という感じはするけれど。いまは使い捨ての道具を搾取するという

(＊23) 戦後の技術革新のもとでの経営と労働、人間の矛盾について――❸『**戦後日本の労働過程**』、❽『**戦後思想の旅から**』**技術革新**(66頁〜)、**市民社会**(70頁〜)など

感じになっているので、そうすると、ひょっとしたら昔のほうがよかったかなという感じもしないでもない。

現に非正規雇用の人たちに支払う賃金は、企業会計上は物品費なので、人件費じゃないのです。人間に給料を払っているという会計ではなくて、機械油を買ったのと同じ扱いなのです。ですからまさに使い捨ての道具なのです。そういう時代だと、昔の悪辣な経営だと思っていたものが懐かしくなる、みたいな言い方もできなくもない。

ともかく、人手不足のなかで日本は非常に生産性の高い工場をつくったことは確かでした。その差が70年代、80年代に出てきて、それで「ジャパン・アズ・ナンバーワン」とか言われるような方向にいった。

そういう歴史をもっているのに、なんでここで外国人労働者なの？と思うわけです。

フランスの差別

僕はフランスへはよく行ったのですが、外国人を入れたのは完全に失敗だと思っています。なぜかというとやはり自分の国での基盤の弱い人が来る。

フランスも70年代の終わりくらいになると、今度は不況になって、失業率が10％ぐらいあったりして、外国人労働者に「帰ってください」という政策に切り換えました。「帰るのだったら飛行機代は国が出します」とか、それから30万円とか50万円ぐらい一種の帰国お祝い金みたいのを出すからとか、そんなような制度をつくったりするのですが、全然帰らない。当たり前で、国に基盤が強い人たちは来ないのです。たとえば農業であろうが何であろうが、ある程度基盤をもっている人は来ないわけで、何の基盤もない人から順番に来てしまう。その人たちは10年間も国を空けていると、本当に自国に基盤がないのです。だから国に帰ったって何をするのという感じです。そのとき母国の経済が活況で、人手不足で、「何でもいいから来てくれ」という状況だったら別ですけど、だいたいそういう状況じゃないですから。そうすると国に帰ったって乞食しかすることがないですよということになりかねない。そういう人が10年、20年フランスにいると、帰ることはますます困難になる。外国人労働者とはそういう人たちなので、だから結局、何があったって居つづけなければいけないのです。もちろんその子どもたちも居つづけなければいけない。

そこで、フランスは表面上はさすがフランス革命の国で、「差別はいけない」「人種差別はもってのほか」というのですけれど、それは建て前であって、本音のところではかなりの差別主義者が多いという国でもあるので、ですから陰険な差別がくり返される。いま、移民の2世になると就職することなどまず困難ですから（＊24）。

「人種差別なんかしていません」と、どこの企業も言うのですよね。ところが名前がアリとかマホメッドとかだとわかってしまうので、「人種差別していません」と言いながらそういう名前の人はみんな入社試験で撥ねられていく。だからまったく就職先がない。企業は「試験の成績が悪かっただけで、差別はしていません」と言う。だけど実際には誰も就職できないのです。社会のなかでもいろんな差別があるし。

ですから、そういう人たちのなかのごくごく一部なんだけれど、むしろIS（イスラム国）のようなものに共感する気持ちをもつ人がでてきても、良い悪いは別にして、気持ちはわからないでもない。

労働者の世界

僕はあるときにパリにいたら、ロングウィという小さな工業の町で暴動が起きたというので出かけていった。夕方着いたのでどこかホテルを探さなきゃと、たいてい駅のあたりでキョロキョロするとホテルという看板があるのですが、みつからない。そうしたらカフェに電気がついていて、数人の労働者風の人がいてしゃべっているようなので、「このへんでホテルを知らないでしょうか」と聞いたら、皆がゾロゾロと出て来て、すごく気の毒そうな顔をしてこっちをみたと思ったら、「せっかくこの町に来てくれたけど、いまこの町は不況で仕事はないんだよ」って言う。3回も4回も「僕は仕事を探しに来たのではなくて、ホテルを探しにきた」と言っても全然信用されなくて、「どこから来たんだ。アルジェリアか？　モロッコか？」と言うので、「日本から」と言うと、皆が会議のようにゴソゴソ話し合ってから「ようこそ、日本から！」と言って、「それじゃ、この町一のホテルにご案内します」。この町一といってもふたつくらいしかホテルはなかったのですけれども（笑）。それは個人経営でとてもアットホームなよいホテルではありました。

「え⁉　日本から？」ってなったときに、フランスの労働者が必ず聞いてくるのは、「労働者か」ということです。そのときに絶対、「ウィ」（イエス）って言わなければダメなのです。何をやっていようと。それを「ノン」と言ってしまうと「我々の仲間じゃないな」となる。「仲間じゃないやつになんか協力はできない」という対応をされる可能性がかなりありますので、なにをもって労働者というのか難しいですけれども、もちろん僕の場合「ウィ」ですから。前は大学の教員をやっていましたけど、もしそれを言ったら、「どういう方面の研究をやっているのか」と聞かれるでしょう、つまり「我々の仲間になるような研究をやっているのか」。経営学をやっているなんて答えたら水をかけられる。階級社会ですから、仲間なのか敵なのかという区別が非常に強いですし。つまり、あのときは「ようこそ日本から」と言われたのではな

（＊24）「フランスの現実から」⓫『子どもたちの時間』所収「戦後思想と戦後教育」（227頁〜）

いのです。「ようこそロングウィの町へ、日本の労働者」と言ったのです。こういうご挨拶をいただきまして、こうなればよくしてくれるのですけれど（＊25）。

そういうような移民の多い社会にフランスはしたのですが、本当に不況になるとその大失敗が顕在化してくる。

そういう時代のなかで、やはり僕らは前近代世界から学ぶことが必要で、労働とは何か、経済とは何か、昔の惣村自治と共同体のあり方をどういうふうにもう一度見直して、なにかに反映することはできないのだろうかとか、それから第1講で言った「自然と生者と死者の社会」ということの社会観をもう一度復活していくことはできないのかとか、多層的共同体という考え方を生かした社会づくりはできないかとか……。

フランス革命以来の失敗

国のもつ問題を考えると、最近強く思っているのは、フランス革命のときの失敗について、です。フランス革命のときは絶対王政期の最後なのです。フランスの歴史上、中央権力が一番権力をもっていたとき、国王の絶対権力があったときです。だから中央が非常に強い力をもっていた。革命によって王様たちは打倒されてギロチンに処された。しかし、その強い中央権力を見直す作業をこのときにやっていないのです。むしろ「その強い中央権力を、これからは人民のために使うのだ」、「そうすれば良い社会ができるのだ」という方向にいった。だから強い権力を温存させて、気持ちとしてはそれを人民のために使う、共和制への移行をすすめ、いわば民主主義的な政治制度への移行をやった。こうして強い中央権力が温存されたのです。

これが失敗だったと僕は思っている。むしろあのときに、「これからは中央権力はどうあったらいいか」とか、あるいは「地方の力はどれぐらいあったらいいのか」とか、権力のあり方の見直しをやらないと本当は変革できなかった。ところがそのまま中央権力の維持という方向にいっちゃって、だからフランス革命以降も、権力を一度握ってしまえば何でもできるような政治体制になってしまったのです。

そういうなかで国が揺らぐと、国民が自ら皇帝を選ぶというようなことも起きて、それがナポレオン帝政なのです。

ナポレオン1世とナポレオン3世がいましたけれど、どちらも国民投票によって皇帝になった。皇帝になれば絶対権力ですから、その権力を使っていくことになってしまう。フランス革

（＊25）「［日本では］技術革新の時代と並行して……労働者同士の助けあいや労働者的な生活様式も消滅していい［った］」❸『**戦後日本の労働過程**』（284頁）
「ヨーロッパ市民社会……の内部には、現在の日本よりはるかに強く共同体的なものが残っている」❽『**戦後思想の旅から**』（73頁）

命で共和制に移行したと言いながら、共和制が自ら皇帝を選ぶとか、そういうことを少なくとも2回やっている。フランス革命直後にはジャコバン独裁、ロベスピエール独裁が進行したわけですし。

必ずしも共和制は民主主義を生むわけではないということです。1930年代のヨーロッパもそうですけれど、ドイツはナチズムの時代になっていく。あのときにフランスでもフランスのファシストが権力を取る寸前までいくのです。ぎりぎりのところで人民戦線ができて、全野党統一戦線みたいなのですけれど、農民も加わり、なにも加わり、みたいな感じで、それがギリギリでファシズム政権を阻止したという構図です。だけどそのときだって、パリはファシズムの拠点だった。人民戦線の共通スローガンのひとつは「パリだけがフランスではない」というもので、つまりパリはもうファシズムの下に落ちているという感じだった。だから地方がパリを包囲するという、そういうかたちで人民戦線政府ができていく。それがあるからその後のレジスタンスの時代も、地方の人たちがパリを包囲するように抵抗運動をする。最後はパリの地下下水道などに入って一種のゲリラ戦みたいなのをやっていくというかたちになるのですけれど、パリの人なんてほとんどやっていないのですよね。

戦後のフランスの歴史はそこらへんを相当偽造したので、フランス人はこぞって抵抗運動をしたという、全員がレジスタンスの兵士のようなことにしてしまった。

じつは南部フランスは自らヴィシー政権というのをつくって、ナチスに協力するかたちでドイツの傀儡政権みたいなものをつくるのです。いまようやくその問題をフランスでも議論できるようになってきたけれど、一時期はヴィシー政権が存在したということもフランスの教科書からは消されていた。ヨーロッパもけっこう強引ですからいろいろなことを偽造しますので。ドイツは自分がやっていますから申し開きはできませんけれど、他の国は、戦後になってから、みんな抵抗した人たちに仕立ててしまった。

フランスにもけっこう排外主義者がいて、その人たちのなかにアジア人を蔑視するような人もいます。だいたいインテリが多いのですけれど。むしろ庶民のほうは、だいたい、さっき言ったような「残念だけれどいまここは仕事はないんだよ」という、そういう雰囲気です。上のほうの連中でときどきむき出しに差別的になる人がいて、そういう人に遭遇すると、「アジア人なんか本当の民主主義を知らない」とか、チクチクやってきたりします。それで、「そうですね。世界中、本当にそういう問題を抱えていますものね。フランスでもヴィシー政権をつくりましたものね」とやると、それで議論は終わり。これをもち出した瞬間に「君とは議論しない」という空気になる。つまり、絶対言ってはもらいたくないことを言われたということなのですね。

だからフランス革命後の政治は、強力な中央集権国家という構造を抱えていて、結局社会主義もそれを踏襲したのです。強力な中央集権権力をつくって、少なくとも初期はそれを人民のために使う、そうすればよい社会ができるという考え方です。それがいい社会にはつながらなかったけれど、あのやり方は西側と同じなのです。つまり、強大な中央の権力を何のために使うのかという話だけで、構造は同じなのです。そのあり方自体のなかに失敗があった（＊26）。

小さな単位が全権をもつ仕組みに

いまの日本の市町村は合併して大きくなりすぎているので妥当かどうかはわかりませんけれど、本当は人間や自然と寄り添えるような範囲の自治体が全権をもつべきだと僕は思っています。みんなが幸せならいいわけですから、それは寄り添えるぐらいの範囲の地域でなければつくることができない。そういうところに権力を全部集中させる。それをいまやろうとしたら、市町村が全権をもつということになります。いまの市町村でいいのか、という見直しは必要としてもですね。

ところが市町村が全権をもったときに、市町村でできないことはいっぱいあるのです。たとえば外交・防衛を市町村でやろうといっても非常に難しい。それから、道路交通法を市町村で勝手につくってしまったら、市町村の境界を越えるたびに危なくてしょうがない。もっと広い範囲でやったほうがよいものも当然でてくるので、それらについては県に委託する。ところが道交法にしても外交・防衛にしても、県が単独でやるのはまた難しいので、今度は県が国に委託する。だから、結果的には国が同じような権限をもったとしても、制度としては、「本来、市町村がもっているものを県や国に委託します」というやり方です。委託ですから、「委託先がしっかりやるか監視します」ということでもあって、委託先があまりにも意に沿わないようなことを決定した場合には、従わないという宣言をすることができる。そういう方向に本当はいくべきだったなと、いまになれば思う。

ただ、それをやっていくと、沖縄は外交・防衛関係を国に全面委託しないかもしれない。9割ぐらいは委託するけれども、「この問題については沖縄県が決定権をもちつづける」という可能性は出てくる。それこそが地方自治なのです。

いまの場合、この後沖縄で辺野古米軍基地建設についての県民投票があるけれど、投票する前から「どういう決定がでようが新基地建設をやるのだ」と政府は言っています。これは明らかに変な話で、本当に礼儀がないというか、最終的には同じでも、「県民投票の結果を尊重しながら最善の策を尽くしたい」とか言っていればいいのに、やる前からケンカ腰で、何ですか

（＊26）「再生産されつづける官僚社会……それは……強大な国民国家がつくりだした病理である」⑭『戦争という仕事』（206頁）

この政府は、という感じがする。

小さいところが全権をもって、できないことはより大きな行政に委託するという仕組みをとった場合、はじめは慣れていないですから大変でしょうけど、たぶん10年もすれば、そういうことができる自治体だということを前提にした人たちが入ってくるでしょうし、そうしたら、こういうやり方にもだんだん長けてくるでしょう。そうすると、たとえば社会保障関係をどこまで委託するのか。これは市町村側で決めればいいので、委託しないで自分たちでやったほうがいいもの、小さい単位でやったほうがいいものもたくさんある。だけどある種の保険制度などは全国的につくったほうがいいというのもあるし、だから何を委託して何を委託しないのが、自分たちの地域をつくっていくのに一番いいのかということを、それぞれが考える。そういうふうな制度に切り換えたほうがいいという感じがします。

国があらかじめ中央集権で強い権力をもってしまうから、権力を握っちゃえばいいという政治が生まれる。握ったらあとはやりたい放題になる。そうすると権力を握るための煽動政治——トランプ的煽動もあるし、安倍的煽動もあるし、プーチン的煽動もあるわけですけども——、ともかく国民を煽動して、ときには危機を演出したりしながら、勝ってしまえばいい、勝ってしまえばやりたいことをなんでもやるみたいな、そういういまの政治が世界的に蔓延しているのをみると、やはりこれは中央集権体制の失敗だなという気がする。

すでに動き出している人々

そういうなかで、「こういう世界はもうやめたい」と思う人たちもでてきています。全国どこへ行っても、いろんな関係とともに生きる、そういう場所に移動する、移住する人たちがいっぱいいるし、都市部でも、関係がみえるなかで自分の役割を果たしていくようなビジネスをしようと、ソーシャル・ビジネスと総称されているような社会的な価値のある仕事をつくる。そんな感じのことが今日では地方、都市を問わずに展開している（＊27）。

ソーシャル・ビジネス系は、数年前だと、志はよいのだけれど経営的には大変だというケースが多かった。最近はそうでもなくて、経営的にも安定しているソーシャル・ビジネスがけっこうでてきています。というのは、「そういうかたちでやるのだったら応援しよう」というような人たちが周りについてくる。消費者にしても、ちゃんとしたソーシャル・ビジネスだったら「買うときにはあそこで買おう」と。たとえば紅茶ひとつ買うにしても、たとえばそれがインドの紅茶だとしても、インドの地域づくりに貢献しながらフェアトレードみたいなかたちで

（＊27）「サラリーマンの時代から職人の時代へと、時代は少しずつ動いているような気がする」⓮『**戦争という仕事**』（172頁）

仕入れて、売っているものは有機的につくった紅茶であったり。そうすると値段が少し高くても、「買ったことがそういう活動につながっていくのだったらそこで買おうか」という人たちもでてきています。その場合、店が遠くてもネットなどで連絡して送ってもらうという手があるので、小さな店が全国的な販売網をつくることもある。そんなに儲けようという話でもないから、何十万人に買ってもらわなくてもいいわけで、それよりもしっかり支援してくれるお客さんをつかむとか。それに成功してきているソーシャル・ビジネスもあって、そうすると逆に市場での叩き売り合戦よりも経営が安定する。

農家も、いい農産物をつくってちゃんとした販売をする。そうすると市場価格に左右されない。市場価格がある程度の目安にはなるとしても、今年は豊作でダイコンが安いからといって1本30円で売らなくても済む。そういうことができたりする。スーパーに行けば1本30円で売っているのはわかっていても、「やっぱりあそこで買おう」とか、そういうお客さんも出る。それと同じようなことがソーシャル・ビジネスの世界でいろいろ起きてきたのがいま、という感じです。

これからの課題——「信仰」

こういう変化をみていったときに、最後の課題だなと思うのは、信仰という問題をどう扱うかということです。

本来の日本の信仰のかたち

「宗教」「信仰」という言葉も明治の翻訳語です。Religion、Belief の訳語です。だから「江戸期までの日本には宗教、信仰はなかった」と思ってもらってもいい。だけど日本には仏教が古くからあるし、神様は山のようにいるし、あれは何ですか？　ということになる。

たとえば、もとの日本の作法でいえば、ご飯を食べるときは、命をいただくので、感謝をしながら厳かに食べる、静かに食べる。大騒ぎしながら食べるのはいけなくて、「いただきます」と挨拶して食べ、「ごちそうさま」とお礼を言う。これもひとつの信仰といえば信仰です。だけど「ごちそうさま」と言ったからといって信仰をおこなっていると思う人はいない。日本の信仰はそういうものなのです。

自分たちの地域をご先祖様が守っているから、ご先祖様にありがたいと思って生きている。

これも信仰といえば信仰なのだけれど、それは普通の日常の営みで、別に「ご先祖教」に入っているとかいうことではまったくない。

自然に感謝している。これも、自然信仰をしているという意識はないわけで、ごく普通に自然に神様を感じたり、それを祀ったり、そうやって普通に生きているのです。日本の信仰というのはもともとそういうものなので、仏教が入ってきても、そういう世界に仏教が溶け込んだから仏教は広がったということなのです。

仏教も教団化した

いまでは仏教も、仏教という教団になってしまいました。仏教の話が全部○○宗の話になってしまった。しかし教団仏教化したのは明治以降と思ってもよくて、仏教のキリスト教化というような言い方をする人もいる。キリスト教はいろいろな教団がありますけど、それと同じように仏教もいろいろな教団になってしまったのです。

江戸時代になると、幕府の命令で日本のお寺はみな○○宗に入らなくてはいけなくなったので、無宗派のただのお寺というわけにはいかなくなった。その結果として、地域にあったお寺が「うちは曹洞宗です」とか「うちは浄土真宗です」とか名乗らざるをえなくなっていくのですが、地域の人たちの気持ちとしては、「○○宗だ」という気持ちよりも、その前からあった

「地域のお寺」なのです。だから、檀家としては○○宗の檀家に入っていながら、○○宗の本を読んでいるわけでもない。曹洞宗の檀家さんで道元を読んでいる人がいったい何人いるだろうか、という感じなのです。しかもそれで許されている。それは、もともとの発生が○○宗からはじまったわけではなくて、「地域のお寺」だったからです。江戸時代にはむしろそっちのほうが優先していた。

それが明治以降になってくると本当に教団化した。それで本山、末寺関係がしっかりできてしまった。そのかたちは江戸時代からあるのですが、あまり機能していなかった。それが本当に機能するものになったのは明治以降です。

本来の日本の信仰のかたちは、生活のなかにも普通にあるし、労働のなかにもあるし、地域のなかにもあるし、ご飯を食べるなかにもあるし、そういうものとしてあった。そういう信仰みたいなものが地域社会で共有されていて、そういう共有が地域社会を支えていた。

家というひとつの小さい共同体もそうで、昔は家族のなかには共有されている信仰みたいなものがありました。それは○○宗という信仰ではなくて、仏壇を大事にするとか、神棚を大事にするとか、お祭りには必ず行くとか、そういうようなことによって普通に展開している信仰でした。それを家族が共有しているから、それもまた家族の絆のひとつを形成する、そういう格好だったわけです。そういう家族の信仰共有みたいなのがなくなってくると、だんだん家族がバラバラになってきたという面もある。地域社会では祭りなども絡めながら、地域の水の神信仰とかいろいろなものがあって、それがまた共同体をつないでいるひとつのものになっていた。

いま、それがないなかで「関係性」とか「共同体」とかいう言葉を使っている苦しさがあります。だからもう一度、今日的な「宗教」「信仰」の世界とは違った意味の宗教、信仰のようなものを視野に収めなければいけないし、そういうものをある程度生かしていくとするとどういうありようがあるのかも検討されなければいけない。

修験道が人気なわけ

たとえば修験道の場合、古い信仰のかたちを残していて、宗教法人としては教団をもっていますが、いわゆる教団とは違います。山々で独立している格好だし、末寺という系列の寺のかたちも違う。京都の聖護院は100カ寺くらい系列の寺をもっている。明治以降潰されたので、本来ならば何千という寺をもっていたのですけれど、やっと生き残ったのが100ぐらいある。形式上は本山がトップにあって、その下の系列の寺の住職さんも本山が任命するかたちになっているけれど、実際には寺々で独立していて、本山は下から上がってきたものに印を押すだけというようになっています。寺のあり方も、ある種の共通性はあるけれど寺によって別々です。

最近は修験道の山伏修行をしたいという人もけっこういて、外国人にもいるようになった。「私はクリスチャンなのだけれどクリスチャンのまま修行をするのはまずいでしょうか？」とか問い合わせがある。それには「修験道は関係ありませんからどうぞ」。修験道系は自然信仰ですから、奉仕のピラミッド構造で自然をみるようなキリスト教的な考え方は好きではないですけれど、修行をしてもらえば気が付くこともあるだろうし、別にうちは宗教団体ではないから、という感じです。だから修験道の修行に来たからといって「教団に入れ」とかいうことはまったくない。「自分の家は檀家が曹洞宗なのだけれど、修験道の修行をやっていいでしょうか？」と聞いても、「どうぞ、どうぞ」。「将来的にはやはり曹洞宗を抜けないとまずいですかね？」と聞くと「いやいや、曹洞宗で家がつながってきたのだから、それも大事にしてください」。二重国籍ではないけれど、宗教はふたつ一緒にやっていたって、三つ一緒にやっていたって何の問題もありません、という感じです。本来、日本の信仰は、山の神信仰と水の神信仰と田の神信仰と、みんな一緒にやっている。この三つはもとをただせば同じものともいえるのだけれども、そういうことをいちいち問わなかったのが日本の信仰でしょう。だから「お葬式のときは曹洞宗。自然をみたときには修験道。それで何が問題があるのですか」と、修験道はむしろそういう対応です。

これが日本の古い信仰のあり方で、明治になって近代になると弾圧されて修験道禁止令になりましたから、逆に明治以前のかたちが残った。つまり近代に仏教教団が受け継ぐことのなかったかたちが維持された。それもまた最近人気が出てきている理由でもあります。

信仰の問題をどうみていくか

そういうことをふくめてこれからのあり方を考えなければいけない時代なのだけれど、この信仰の問題を正当に扱うのは学問世界も苦手なのです。宗教学というと本当に宗教研究になってしまうし、どちらかというと民俗学が民衆信仰を扱ってきたのですが、たとえば地域社会学が真っ当に地域の信仰の問題を扱うということはない。付録みたいに扱う場合はあるのですが、扱うことに慣れていない。

近代の学問は、信仰はそれぞれの自由で、その意味では学問の対象ではないという前提で成立しているようなところがある。学問はもっと普遍的なことをやるのだと。だから宗教を除外した世界のことを分析する。宗教学というと宗教そのものもやりますけれど、宗教学を教えている大学はいくつもないし。そういうことも民衆世界をとらえられない現在の学問の限界をつくっているのだけれど。でも、そろそろこのことも課題にしないといけないという気がします。学問的にも課題だし、僕らは「地域」とかいう言葉を使っているときにこの問題をどういうふうにみていったらよいのか。それはとても重要になってきているという気がしています。

第4講　変革の思想を再検討する

しのいでいく柔らかな発想

最初に述べたとおり何が起きるかわからない時代なので、そういう時代に私たちはどうしたらよいかというと、何が起きてもそれをしのいでいけるような柔らかい発想と基盤が必要だということなのです。どうしてもそれをもっていないと何か起きたときに変動に巻き込まれてしまう。国の危機とか国家間対立とか経済の変動とか、そういったものにどうやったら巻き込まれずに生きていけるか。いま考えるのはそっちのほうだと考えています。

巻き込まれないために何をつくったらよいか。いまの若い人たちをみるとけっこうそういうことを考え感じはじめているという気がしてきます。そのために地方に移住する人もふえているし、農業というほどではないけれど農的生活をしたい、何かあっても最低限度の自分の生きる基盤をもっていたいと、そういう人たちもいまはふえつつある。

劣化した政治の世界

もうひとつは、何が起きてもそういうことから逃げだしていけるような関係をどうつくるかも課題となっている。

アメリカ政治に詳しい人たちの現在の予想では、どうも2年後（２０２０年）の大統領選でトランプ氏は再選されるだろうという見方が強い。というのは、トランプ氏を支持するアメリカ人がやはり3〜4割ぐらい確実にいるからです。

アメリカの選挙というと、日本のニュースは盛り上がっている場面ばかり映すのですけれど、中間選挙（議員選挙）の投票率は30％強ぐらいが普通です。つまり3分の2の人は投票していないということです。トランプ氏が当選した２０１６年の大統領選は投票率が高かったのですが、それでも60％くらい、つまり4割の人が投票していないのです。

また、アメリカという国は州知事の権限が強くて、州知事の権限で選挙区を勝手に変えたりします。たとえば自分が共和党の州知事だとすると、どういう区割りをすると州のなかの共和党の当選者がふえるか、たとえば1カ所共和党がすごく強くて80％は取れるというところがあったとして、そこに候補者を立てても1人は確実ですけれど他の選挙区が負けてしまう可能性がある。そうするとそこを細かく割って他の選挙区に振り分ける。そうするとそこの8割は鉄板だから、本当なら五分五分に近いような選挙区でも共和党が勝てる。そんなことを自由にやって、全体で5人の定員だとすると3人は共和党が勝てるようにするとか。民主党も同じことをするのですけれど。本当にそういう選挙制度の改定をしょっちゅうやっている国なのです。そういうこともふくめて選挙がおこなわれている。

それから、日本の場合は選挙になると投票権のある人のところへ自動的にハガキが送られてきますけれど、アメリカはいちいち選挙のたびに選挙人登録をしに行かなければならない。その選挙人登録にプラスαを付ける州がふえてきています。それは何かというと、投票するとき、選挙人登録のための証明書とは別の身分証明書が必要だというものです。それも顔写真の付いている正規の身分証明書でないといけない。それがないと選挙人登録をしていても選挙ができない。なんでそんなことをやっているかというと、ヒスパニック系とか貧困層の黒人をはじくためです。そういう人たちがその制度をよく知らずに投票に行ったら「あなたはダメです」と言われる。鉄板の人たちだけで投票しようと。それも州で勝手に決められるのです。それは憲法違反ではないかという訴訟も起きているのですが、じつに党利党略的な選挙制度です。

そういうことから、たぶんこのまま順調にいけばトランプ氏が勝つのではないかという予想を現在立てている人たちがアメリカ研究者には多いのです。もっとも、この後1年半くらいの間に何が起きるかわからないですが。

国家や経済に巻き込まれない基盤

しかし、それを笑っているような状況でもなくて、日本でも似たり寄ったりの結果がでるという可能性も十分にあります。

日本の選挙を大雑把にみていくと、「必ずいまの与党の自民党・公明党に入れる」という人たちがだいたい3分の1くらい、反対に「絶対に自公には入れない」という人たちも3分の1くらい。あとの3分の1の人たちはどこに入れるのかというと、そのときの判断で変わる。実際にはその多くは投票しない。反自公側に入れる人も別に何党を強く支持しているというわけでもないから、選挙区の事情などもみながら、この人が一番可能性があるという人に入れるとか、いろいろな判断をして投票します。だからこの3分の1を固められるかどうかで選挙結果が変わってくる。

民主党政権ができたときは、「絶対に自公には入れない」という3分の1の票が漏れなく民主党に集まりました。それに対して自公側には漏れがあった。それで小選挙区制ですから民主党が大勝した。その後は自公側にあまり漏れがなくて、民主党政権に入れた側の人に漏れがたくさんでた。そうすると自公側が大勝してしまう。だいたいそんなふうに、どっちがどう固められるかで日本の選挙は結果がでる。

ニュースをみていると、アナウンサーも解説者も、「民主党政権時代がひどすぎましたから」って普通に言う。枕詞のように「あれがひどすぎたから」と言う。「そんなにひどすぎたの？」という感じが僕にはします。僕だってあの民主党政権はすごくいい政権だったと思っているわけではないけれど、いまの自民党よりはまともなんじゃないか。だいたい政権なんてどこが取ったってひどいようなものなのだけれど、極端に民主党がひどかったというほどのこともないだろうという感じがしますけれど、くり返しくり返しアナウンス効果で「あれがひどすぎた、あれがひどすぎた」とやられる。そうするとだんだん僕らの頭も洗脳されてくる。そういうことをふくめて、日本の社会はいろんな意味で劣化している。

そういうことについてもある程度視野を広げてみておくことは必要なのだけれど、基本的には、本当にこのあと何が起こるかわからない時代のなかで、巻き込まれない基盤をつくるということのほうが重要です。

だから大学生でも、大手企業に入ってそこに生涯いようというタイプの人は本当に少なくなった。つまり大手企業に入っても生涯保障などない、当てにならないと感じているのだろうという気がする。じわじわとそういう変動が社会のなかで起きているなと思っています（＊28）。

「固有の人権」という発想を超えて

近代は普遍的な理念があると思っていた時代だった。それが自由、平等という考え方だったり、民主主義という考え方だったり、あるいは人権という考え方だったり。いろんなところに普遍的な理念があった。ところが今日ではこういう考え方自体が破綻してしまっている。ただし、そのときに応じて、ときに私たちは矛盾した発言をする勇気も必要になっている。

たとえば人権でもそうです。人権という考え方はもともとキリスト教の「神様が人間に与えた固有の権利」という考え方からきています。そこから「神様」を外して「人間には生まれながらの固有の権利がある」というふうに書き直したのが近代の人権の考え方です。

キリスト教で「神様は人間に権利を与えた」というとき、その権利は神様への奉仕という義務と一セットでした。神様への奉仕をしない人間に権利は与えられないということです。

近代になると神様の話はなくなるわけですけど、「権利と義務は一セットで、義務を果たさなければ権利はない」という考え方はキリスト教時代からそのまま残りました。では国民の最大の義務は何かというと、じつは納税の義務です。だから「金を払わないやつは権利がない」ということになるわけで、特に地方税を払っていないと、あらゆる権利が剥奪されるといってもよい。たとえば社会保険に入れないとか。「いまは病気をしていて収入がないから税金はゼロです」という申告をしていれば、払う意思があるということになるので、これも一種の納税となるわけですけど、それもしないで黙って何も払わないでいると、いろいろな権利が失われ

（＊28）「資本主義が生みだした大規模な結合労働の世界を改革する……より、そこから離れて自分たちの別の労働の世界をつくろうとする人たちがふえてきた」❸『**戦後日本の労働過程**』著者解題（17頁）

るという仕組みになっています。国民は義務である納税を果たす限りで国のいろいろな権利が与えられるという仕組みなのです。

そうすると、「人間が生まれながらにして与えられた権利」の中身を誰が決めるのか。結局それは政治が決めることになってしまう。

たとえば女性の権利は、以前の社会ではあまり問題にならなかった。しかしいまは女性たちも労働者としてこき使おうという時代です。別に働きたい人に働いてもらうのは僕は大賛成ですけれど、政府が言っているのは、「女もみんな働け、全員労働者になれ」「ＧＤＰを上げるべく努力しろ」という話です。そのためには、「女性にも男性と対等の権利を」ということになっていくわけで、だから女性の権利が言われてくる。作為的な女性の権利という感じがする。

しかもそれは政治が決めたことだから、一方では依然として選択的夫婦別姓制度を認めないというようなことがまかり通っているのです。あれなんて、「別姓も選択できるようにしよう」と言っているだけで、あの制度をつくっても9割以上の人は同姓を選ぶだろうという気がします。それを自由にするというだけでどうしてダメなのか。「夫婦別姓を認めると家が崩壊して、国家の崩壊につながる」と思っている頭の古い政治家たちがけっこういるわけですけど、そんなので崩壊するような家ならとっくに崩壊している気がします（笑）。

結局、そういうことに象徴されるように、「固有の権利」と言いながら、その権利の中身を最終決定しているのは国であるという、じつに不思議な構造になっている。

個人の権利という発想からものごとを考えていくのは、本当はダメなのです。「個人の固有の権利」ではなく、むしろ「どういう関係をつくったらお互いを尊重し合える社会ができるのか」を考えないといけない。関係論から考えないと。自然と人間でもそうで、「自然を大事にしましょう」と言っているだけではダメなのです。「自然と人間がどういう関係をつくったらお互いに尊重される仕組みになるのか」と考えないといけないし、人間どうしでも「どういう関係をつくったら、差別されたり不当な扱いを受ける人がいなくなるのか」と考えないといけない。「固有の権利」という発想自体が誤りで、だから「人権」という発想はダメだと僕は思っています。

矛盾を引き受ける勇気

だけど、それだけを言っていると、現実社会にはあからさまな人権侵害が、日本のなかでも世界中でもいっぱいある。「いくらなんでもこれはないでしょう」ということが平気でおこなわれる。そういう現実の前では「人権はしっかり守らなければダメだ」ということも発言していかざるをえない。

現実に対応していく思考と発言も必要だけど、本質に基づく思考と発言も必要だ。この二重の発言は矛盾することがあっても平気でやっていく勇気をもっていないと、いまの時代に対応できないという気がします。

働くということについても、40％が非正規雇用という社会をつくってしまっている。非正規雇用を希望している人はそれでいいですけど、ほとんどの人たちは正規雇用を希望しているのに現実は非正規雇用という、そういう社会になっているのだから、「ちゃんと雇わないとダメです。人を雇う以上はちゃんとした雇用と待遇を保証しないといけない」と言わざるをえない。これは現実的な対応です。

でも、もっと根本的な問題として、「雇われればそれでいいのか」ということが同時にあるのです。「たとえどんなに高賃金だったとしても、雇われたら人間は幸せになれるのか？」いまでは、そのことに疑問をもっている人がいるから、就職が決まっても数年後には辞める人がたくさんいるし、スキルをみつけてどこかで独立したいとか、そう思っている人たちもたくさんいる。根本的には「いまの雇用制度というのが果たしてベストのやり方なのか」ということを問うていかなければいけない。

だけどそれを問うあまり、いまの非正規雇用の増大を結果的に黙認してしまうのも、ひとつの不正なのです。そこでは「ちゃんと雇用しなさい」という言い方をしていかなければならない。これは矛盾しているのですけど、この矛盾を引き受けていくのがこれからの思想、つまり、しのいでいくためには絶対必要なのです。

対決を悲しさとして引き受ける

ところで、批判をしたり批判的な行動をとって社会を変えていくということに対しても、欧米思想と日本の伝統思想は違う感覚をもっていました。

欧米思想は、「正しい意見を提起して、社会をときに批判し、行動して変えていく。それが明るい未来をつくる。だから批判とか監視とか行動、それが最も重要なことだ」という立場をとってきた。

それに対して日本の場合は、本質的にみていくと社会批判なんか必要ないのです。なぜかというと、第2講から言っているように、この世界は空《くう》なのであって、私も空であり真理も空なのだから。空の世界で批判なんかしてもしょうがないし、だからそのままで放っておけばいい。一面ではそういう面を日本の思想はもっている。これは本質論争です。

ところが現実の世界では、「この世は空だ」と言って開き直っているだけでは片がつかない問題が絶えず生起する。やはりその問題については、ときに発言したり批判したり行動したりということがどうしても必要になってくる。「空だ」と言いつつ、現実問題はきちっと対応しなければいけない。そういうことを同時進行でやる。だからこれも矛盾したことを平気でやっている。

そして対決や批判について、じつは日本思想は「明るい未来をつくるために必要なこと」と思ってはいなくて、「こんなこと本当は要らないのにやらざるをえない」と考え、そのやらざるをえないことをむしろ「悲しさ」としてみている。その悲しさを引き受けるという立場をとってきたのです。

つまり、「社会と対決していくのは悲しい行動である。本当だったら空とか悟りの世界で生きていればよい。だけれど、そんなことを言っては済まない問題を私たちの現実世界はいっぱい引き起こしていて、それを引き受けざるをえない。それは本当は悲しきこと、でもその悲しさから私たちは逃げない。それを引き受ける」というのが仏教的な対決理論です。「私は正しいことを知っているから、そこで頑張って批判をする」という論法ではなく、「こんなこと本当はやらなくてもいいはずだけれど、現実の世界を生きている以上はこの問題から逃げるわけにはいかない」という、まさに悲しさも引き受けるという論法を日本の思想はとる（＊29）。

役割を引き受ける

小さな役割、大きな役割

僕らにとって必要なことは、さまざまなかたちで発生する役割を引き受けていくことにあるといってもよい。自分にどんな役割があるのか。その役割はいろいろあって、なかには一瞬で終わる役割もあります。

たとえば、車椅子の方がビルの中に入ろうとしている。ところが車椅子のままではドアが開けられない。近くには僕しかいない。で、前まで行ってドアを開けてあげる。それは、僕しかいないのだから僕の役割です。だけどその役割は、その人が無事に中に入ったのを見届けたら終了。ほんの数秒で終わる役割です。

（＊29）「近代的な人間の世界……では、能動的な働きかけと変革こそが善であった。……山里に暮らしてみると、この論理だけがすべてではないと思うようになってくる」⓭『里の在処』（176頁）「矛盾をかかえながら生きている悲しき存在として人間をみる」⓯『共同体の基礎理論』（66頁）

ところがもっと持続的にやっていく必要性をもっているような役割もあります。僕の村でもある上野村は毎年1月5日に村の新年会というのがあって、人口1200のうち、200人ぐらいが集まります。そのときに村の功労者表彰というのがあって、毎年10人くらいの人が表彰される。うちの村の表彰基準ははっきりしていて、「長く村に住みつづけた人」、それが一番の功労者です。別に村長をやったから功労があるとかいうのではなくて、住みつづけた人こそ村を守ってきた人だということです。村長も長く住みつづければ表彰されますけれど、職責で表彰されるわけではない。やはり地域社会は、長くそこで暮らしつづけた人が地域を守ってきたわけで、それもその人がはたした役割です。

同じように、農業を守っていく役割は、やっぱり農業をつづけてきた人が一番守っているのです。そのなかには、一生懸命よりよい農業を工夫した人もいるし、べつに変わったことをしたわけでなくごくごく標準的な農業をつづけた人たちもいるけれど、でもそういう人たちもいたからこそ農業は守られてきたということがあるのです。そういう役割もあります。僕らは、そうやって農業をつづけた人たちが役割をはたしてくれたのだと、そのことに対して敬意を払わないといけない。

だけど、これからこの地域の農業をどういうふうにやっていこうかという話になると、場合によってはある人のやり方に対して批判的な態度をとることもありうる。面と向かって批判するかどうか別として。たとえば「もっと農薬を減らしていこう」とか、「少なくともこういう農薬はやめようよ」とか、そういう議論をする場合もあって、それは結果としてある人たちを批判することになってしまうこともある。

その人たちが農業を守ってきたことに敬意を払うことと、やり方を批判することとは、矛盾していていいわけで、その両方ができなければいけないのです（＊30）。

「主体的な変革」から役割へ

役割には、ある時代のなかでの役割から、ちっちゃな、ドアを開けてあげる程度の役割までいろいろありますけど、私たちはひとつ一つの役割を引き受けていけばいい。西欧がつくった自分が主体的になって、自分で変革の思想をつくっていくのがよいことだという思想は、誤りだという感じがします。自分の側から主体的変革プログラムをつくったら人間は失敗することのほうが多いのです。トランプ氏が「偉大なるアメリカを再建する」とか言っていますが、あ

（＊30）「昔から人々がたずさわってきた経済は、それまでの労働を継承するところから活動がはじまります」「一度継承したうえで、改革すべきことは改革していく、それが村の暮らしです」⓫『子どもたちの時間』（63、104頁）

れもあの人なりの変革プログラムなのです。多くの人からみれば笑いたくなるような変革プログラムだとしても。だけど、もしかするとそれと同じようなことを近代思想はやっていたのかもしれない。内容は違うけれど、根本的には自分が変革プログラムをつくって、それを他人に押しつけていく。もしも自分に力があればそれを制度的にやっていこうとする、そんなことを結局世界中でやったのかもしれない。それが世界を壊してきたということにも、もう気がついてもいい頃です(＊31)。

そうではなくて、自分の役割を発見する。役割がみつかったら、小さな役割から大きな役割まで、役割をこなす。役割をこなしていくときに社会と対決する必要性が出てくるなら、「本当にちゃんとした社会だったら、こんなことはしなくてもいいんだよね」と思いながら、でもそういう悲しさも引き受ける。それも役割を引き受けるということです。

関係的世界があるから役割を感じる

役割とは、関係のなかで物事をみているから役割がみえるのであって、自分だけでみていると役割はみえない。それぞれが役割をみつけだしながら結び合い、上手にしのいでいく世界をつくる。それがいまの僕らの課題なのだろうと思います。

関係的世界があるから役割を感じるのです。僕も暇があると、山の下のほうの木を伐って薪をつくります。やっていて思うのは、上野村森林組合に電話すれば、製材した木の切れ端などを軽トラ1台1万円でもって来てくれる。火を燃すのならこっちでも別に何の問題もないし、どうみても経済合理性としてはそのほうがいい。それと同量ぐらいの薪をつくろうとすると何日もかかる。その時間で原稿料でも稼いだほうがどうみても利益がでる。計算上はそうなのです。だけどやっぱり、村にいるとそれはあまりしたくない。木の切れ端を燃やしているのと薪を燃やしているのは感じも違うし、なんとなくプライドが許さないみたいなところがあったりもする。村の人も「そんなの自分でつくっているより買ったほうが簡単じゃないか」と言ってくれるのですが、身体が元気なうちはそうしたくない。

森もたまには手入れしていかなければならないということもあるのですけれど、そうやって森の維持と薪づくりぐらいは自分でやっていくのは、幸か不幸か僕の森はちょっとしかありませんので、自分で手入れができるぐらいの広さしかないのです。だから、それも自分の役割なんだと感じる。そう感じるのは、やっぱり村的関係の世界があるからなのです。もし僕が別荘

(＊31)「一人一人の経済活動の集積として地域経済を考えるのではなく、地域経済のなかで一人一人が役割をこなすかたちへの転換が模索されてきた」⑬**『里の在処』著者解題**（19〜20頁）
「共同体の社会では、その人なりの役割を共同体が与えるような仕組みになっている」❼**『続・哲学の冒険』**（95頁）

地の分譲地でも買って、そこに別荘をつくって一人で音楽でも聞いて楽しくやっているというのだったら、もしかすると森林組合から買ったほうがいいかもしれない。だけど、一応僕のところは別荘ではなくて村の家だし、気分的にはそっちが本拠地なので、やっぱり最低限このぐらいのことをやっていくのは僕の役割だ、そのことを、なんとなく村的関係が強いていると感じる(＊32)。

そんなこともふくめて、役割も、それを生みだす関係もいろんなものがある。そういうことをみながらいまの時代の新しい基盤をつくっていきたいなというふうに思っています。

(＊32)「薪が積み上がってくると、何ともいえない安心感と満ち足りた気持ちになってくる。……村の人間としてやるべきことをやり終えたというような充足感」⓭『里の在処』(108頁)

あとがき

2月におこなわれる、東北の農家の勉強会の講師役を引き受けてから35年ほどがたった。毎年私は「いま自分が一番関心をもっていること」を話し、その後に参加者と議論をする。そんな勉強会である。途中から同じような勉強会が九州でもおこなわれるようになり、こちらも現在なお継続している。

東北での私の「報告」のいくつかは農文協から書籍化されている。1988年の報告は『自然・労働・協同社会の理論』（89年刊）として刊行され、94、97年の報告は『創造的であるということ（上）農の営みから』（2006年刊）、2000年と01年の九州での報告を合わせた『創造的であるということ（下）地域の作法から』（06年刊）は上下巻として書籍化された。14年の東北での報告も『主権はどこにあるのか』（14年刊）として農文協のブックレットに加えられている。本書は農文協編集部からのすすめもあって、17年、18年、19年の報告を三部作として単行本化した。

この勉強会がはじまってからの三十有余年の間に、私たちの社会はいろいろな変化をみせた。一方では市場原理主義が広がり、格差社会や先進国経済の地位低下がすすんでいった。国民国家、市民社会、資本主義が三位一体になるかたちでつくられた近代・現代社会は、いたるところでほころびをみせている。だがその社会の内部からは次々に新しい試みが生まれ、人びとの考え方も大きく変わってきた。

たとえば農業、農家、農村をみれば、数十年前ならマイナスイメージをもつ人が多かった。農村は封建的なものが残る自由のない地域であり、農家では家父長制的な家制度が支配し、農業は遅れた産業である。そんな評価が日本の社会を支配していたと言ってもよい。だが、現在ではどうだろうか。多くの人びとが共同体的な結びつきのある社会を求めるようになった。自然と結ばれ、人びととも結ばれていく社会は、現在ではむしろ目標とされる社会になっている。とともに農業が人気産業に変わりはじめただけではなく、農的な暮らしを求める人びともふえつづけている。この変化とともに、新規就農者や農村への移住者も増加してきた。農業、農家、農村をみつめるまなざしが大きく変わったのである。

とともにこの変化は、かたちを変えて都市でも起きている。コミュニティ＝共同体を内蔵させた都市はつくれないのか、利益の最大化をめざすのではなく、ともに生きる社会をつくるためのビジネスをつくる。都市の内部でも、そういうことをめざして動いている人びとに、私たちはしばしば出会うようになった。

一方では横暴で荒廃した資本主義が展開している。それは国家主義的な政治勢力を増加させ、新しい国際対立の時代をも発生させている。いわば、まるで帝国主義の時代に戻ったかのような世界が私たちの前には広がっている。だが他方では近代社会とともにあったこれまでの価値観を検証し、新たな創造の道を歩む人たちがさまざまな領域から生まれている。今日とはそのような時代である。

このような変化を背後に感じながら、私は東北の農家や、途中からもたれるようになった九州の農家との勉強会を重ねてきた。その東北と九州とでは、はたして同じ農民なのかと思えるほどに雰囲気が違う。東北の農家は、冬は雪や寒さとともに暮らしている。といっても日本で「雪害」という言葉が生まれたのは大正時代のことで、それまでの東北では雪は「害」ではなく、雪とともにある暮らしが展開していただけだった。雪を利用して野菜を保存し、その雪がとける頃には、豪雪地帯でなければけっして手に入らない、すばらしい山菜が芽を出してくる。自然とともに生きる農民。そのことが東北ではいっそう大きな意味をもってくる。

それと較べれば九州は古代から都市が形成され、商業的基盤が形成された地域である。しかも冬でも畑を耕せる暖かさに包まれている。もちろん九州の農民も自然とともに生きていることに変わりはないが、都市社会とともに生きる農家という性格が、ここには形成されている。

農民は、自然とともに生きるという共通性をもちながらも、その姿は「日本の農民」というように言ってはいけない多様性をもっているのだろう。地域によって自然も風土も異なる。その違いを前提にして、ともに生きる世界をつくってきたのが農民たちだ。もしかすると、農家、農民という言葉でひとくくりにされた「農民」は、どこにもいないのかもしれない。そんなことを感じながら、私は農家との勉強会をつづけている。

著者紹介

内山　節（うちやま・たかし）

哲学者。1950年東京生まれ。東京と群馬県上野村を往復しながら暮らしている。主な著書は『内山節著作集』（全15巻、農文協）に収録。近著に『日本人はなぜキツネにだまされなくなったのか』(講談社現代新書)、『いのちの場所』(岩波書店)、『修験道という生き方』（共著、新潮社）、『内山節と読む世界と日本の古典50冊』（農文協）など。立教大学大学院21世紀社会デザイン研究科教授(2010年4月～2015年3月)などを歴任。NPO法人・森づくりフォーラム代表理事。『かがり火』編集人。「東北農家の二月セミナー」「九州農家の会」など講師。

内山節と語る　未来社会のデザイン

3　新しい共同体の思想とは

2021年3月15日　第1刷発行

著　者　内山　節

発行所　一般社団法人 農山漁村文化協会
〒107-8668　東京都港区赤坂7丁目6－1
電話　03(3585)1142(営業)　03(3585)1145(編集)
FAX　03(3585)3668　振替　00120-3-144478
URL　http://www.ruralnet.or.jp/

ISBN978-4-540-20178-3

DTP製作／㈱農文協プロダクション
印刷・製本／凸版印刷㈱

内山節著作集

全15巻　揃価42000円＋税

高度経済成長が終わった1970年代後半から、自然と人間の交通としての労働論を軸に、近現代を超える独自の思想を形成してきた内山節の真髄をなす著作を集大成。各巻に著者執筆による解題付き。

第1巻 **労働過程論ノート** 労働の解放から人間存在の解放を展望する。 2900円

第2巻 **山里の釣りから** 「流れの思想」から川をとらえなおす。 2900円

第3巻 **戦後日本の労働過程** 経済発展がなぜ労働を貧しくしたかを鋭く分析。 2900円

第4巻 **哲学の冒険** いまを美しく生きることを問う哲学入門。 2800円

第5巻 **自然と労働** 存在の無意味感を捉える哲学的エッセイ集。 2800円

第6巻 **自然と人間の哲学** 人間と労働から現代の自然哲学を構築する。 2900円

第7巻 **続・哲学の冒険** 60年代後半、若き日の思索をたどる哲学的自伝。 2700円

第8巻 **戦後思想の旅から** 戦後の時代精神に人間の空白を読みとる。 2700円

第9巻 **時間についての十二章** 時間という「存在」を関係からつかみとる。 2800円

第10巻 **森にかよう道** 「森と人間との営み」の回復を展望する旅。 2800円

第11巻 **子どもたちの時間** 小さな「人生の経営者」はなぜ生まれたか。 2700円

第12巻 **貨幣の思想史** 経済思想家はお金をどうとらえてきたか。 2800円

第13巻 **里の在処** 四季折々の村人との交流から里の意味を考える。 2700円

第14巻 **戦争という仕事** 現代の労働に戦争との共通点をみる仕事論。 2900円

第15巻 増補 **共同体の基礎理論** 未来を拓く可能性としての共同体論。 2700円

価格は本体価格

（価格は改定になることがあります）